本所おけら長屋 読み始めセット

本所おけら長屋(三)

畠山健二

PHP
文芸文庫

○本表紙デザイン＋ロゴ＝川上成夫

本所おけら長屋(三) 目次

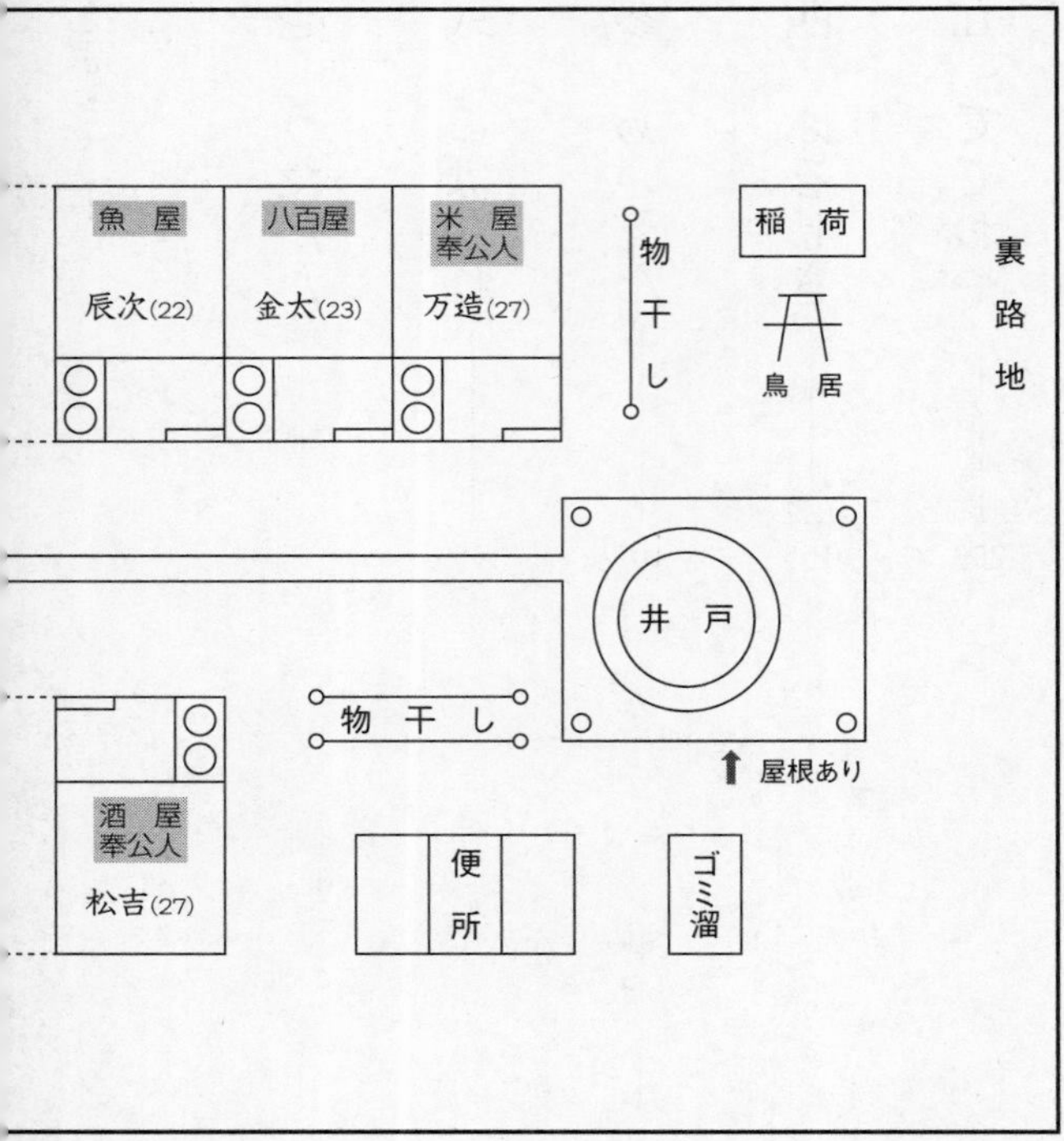

魚屋
辰次(22)
八百屋
金太(23)
米屋
奉公人
万造(27)
物干し
稲荷
鳥居
裏路地
井戸
屋根あり
物干し
酒屋
奉公人
松吉(27)
便所
ゴミ溜

本所おけら長屋の見取り図と住人たち

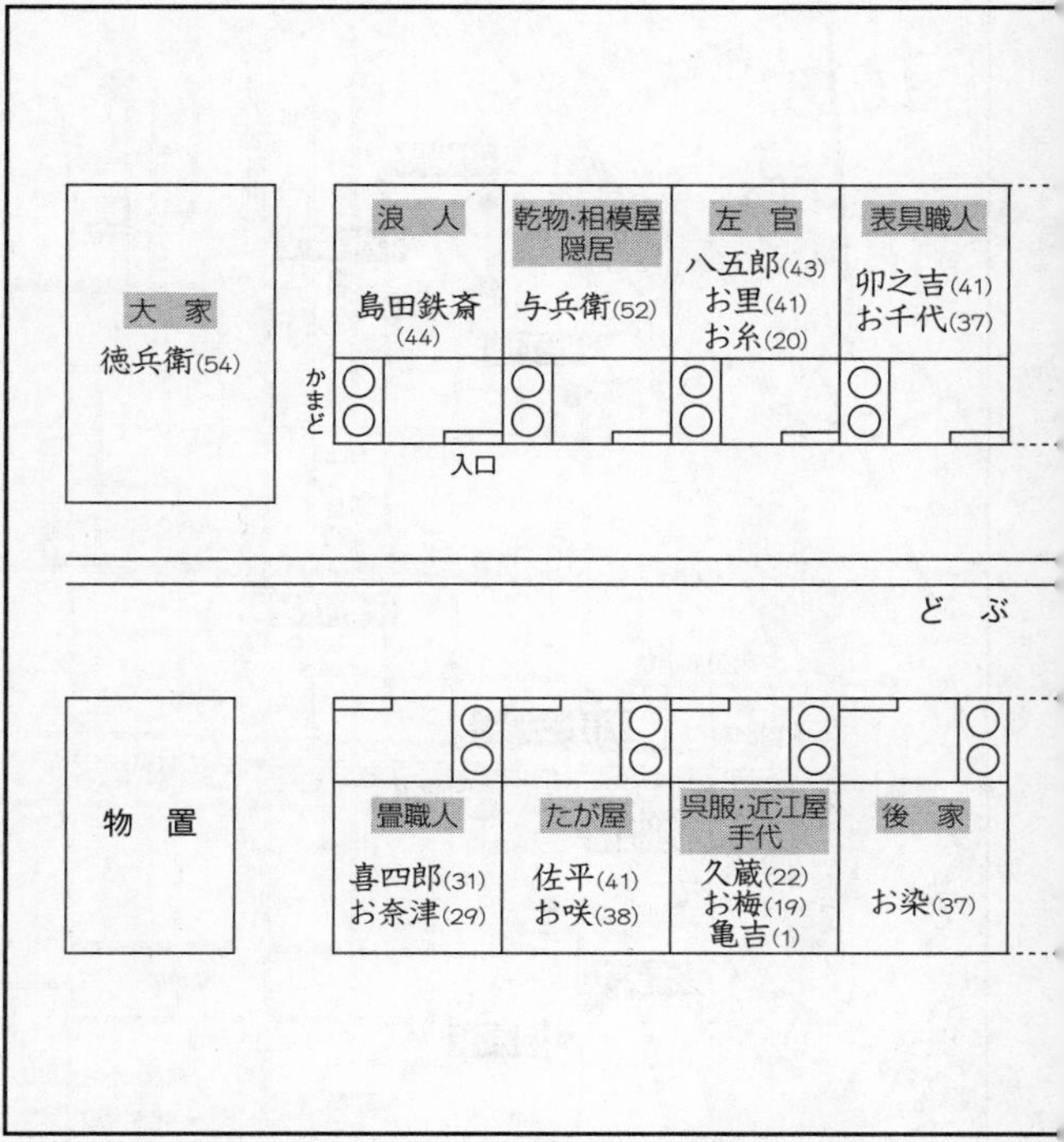

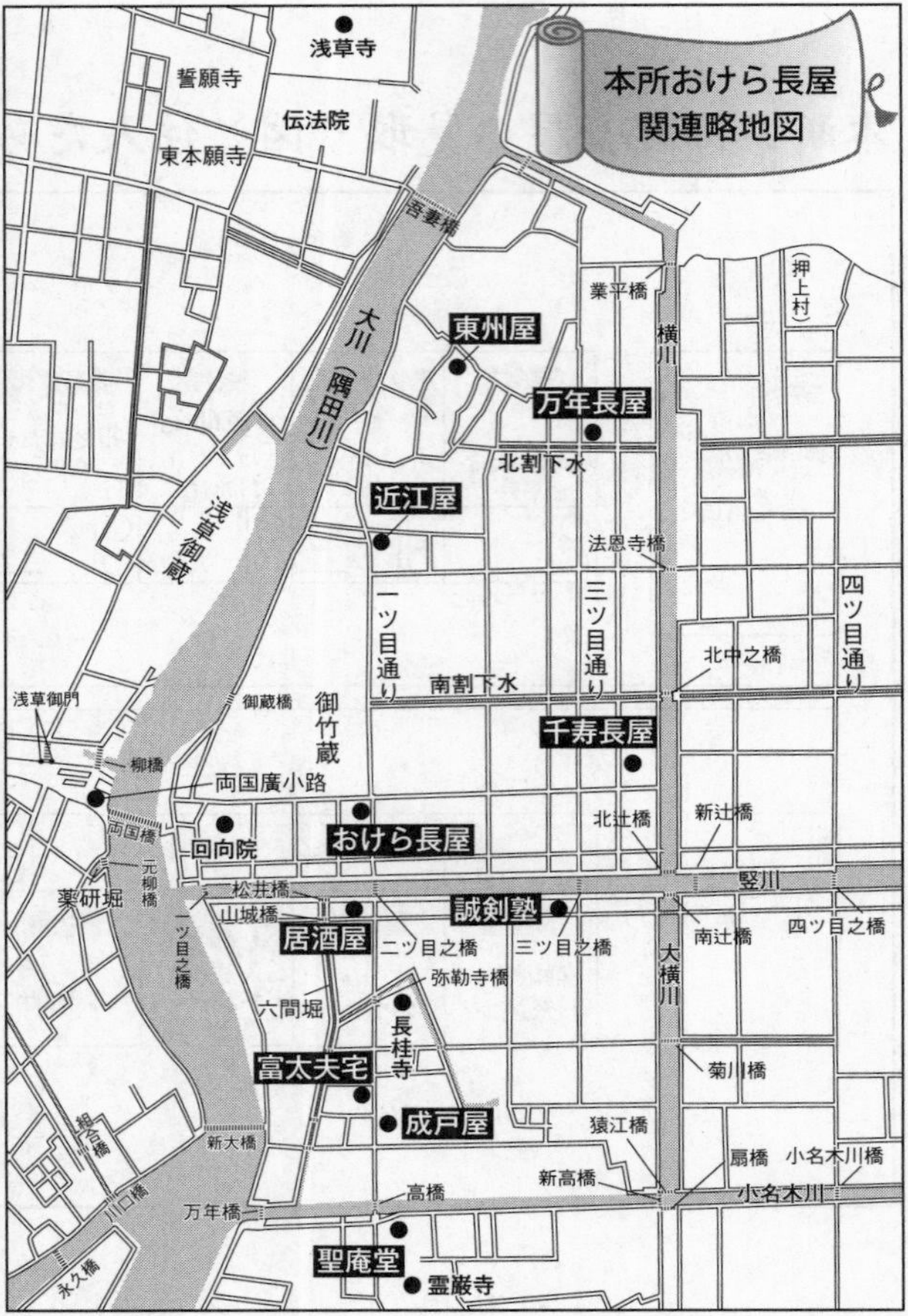
本所おけら長屋
関連略地図
浅草寺
誓願寺
伝法院
東本願寺
吾妻橋
業平橋
(押上村)
横川
大川(隅田川)
東州屋
万年長屋
北割下水
近江屋
浅草御蔵
法恩寺橋
一ツ目通り
三ツ目通り
四ツ目通り
北中之橋
南割下水
浅草御門
御蔵橋
御竹蔵
千寿長屋
柳橋
両国廣小路
北辻橋
新辻橋
おけら長屋
回向院
両国橋
元柳橋
竪川
松井橋
薬研堀
山城橋
誠剣塾
一ツ目之橋
居酒屋
二ツ目之橋
三ツ目之橋
南辻橋
四ツ目之橋
大横川
弥勒寺橋
六間堀
長桂寺
富太夫宅
菊川橋
成戸屋
猿江橋
組合橋
新大橋
扇橋
小名木川橋
新高橋
小名木川
高橋
川口橋
万年橋
聖庵堂
霊巌寺
永久橋

本所おけら長屋(三)　その壱

うたかた

「まったく、女なんてもんは何を考えていやがるのか、わかりゃしねえ」

「ちげえねえ。いきなりトンズラとは恐れ入谷《いりや》の鬼子母神《きしもじん》、びっくり下谷《したや》の広徳寺《こうとくじ》ってやつでえ」

二ツ目之橋《ふためのはし》近く、本所松井町《ほんじょまついちょう》の居酒屋でボヤいているのは、亀沢町《かめざわちょう》のおけら長屋《ながや》に住む左官《さかん》の八五郎《はちごろう》と、松倉町《まつくらちょう》の万年《まんねん》長屋に住む、同業の為三郎《ためさぶろう》である。ツーカーだった二人が、ひょんなことから仲違《なかたが》いして二十余年。先ごろ、めでたく雪解《ゆきど》け（詳しくは『本所おけら長屋（二）』その五「あいおい」参照）となり、喧嘩《けんか》仲間が復活した。

大横川《おおよこがわ》近くの永倉町《ながくらちょう》に、お園《その》という乙《おつ》な端唄《はうた》のお師匠《つしょ》さんがいると、為三郎が聞きつけてきたのが、ひと月前のことだった。

「八よ、おめえも噂《うわさ》くれえは聞いたことがあるだろ」

「ああ、三十路《みそじ》でこぼこで、口元に黒子《ほくろ》がある色っぺえ女らしいな。習いに通ってるのは野郎ばっかって話じゃねえか」

「甲州屋《こうしゅうや》の旦那《だんな》なんざ、すっかりお園さんを気に入っちまって、総絞《そうしぼ》りの着物を誂《あつら》えてやったそうだ。歳《とし》を考えろってんだ。歳を。だが気持ちはわかる。おれも二、三度、見かけたことがあるが、ありゃ、相当なもんだ」

為三郎の脳裏には、お園の容姿が浮かんだらしく、だらしなく口元を緩《ゆる》めた。

「おめえ、お豊《とよ》ちゃんと所帯を持ったばかりだってのによ」

「それとこれとは話が別でえ。目の保養ってやつだ」

「そ、そんなにいい女なのか」

「どうでえ、八五郎。おれと一緒に端唄の稽古《けいこ》に通っちゃみねえか。一人じゃ、小《こ》っ恥《ぱ》ずかしいからよ」

まんざらでもない八五郎は身を乗り出す。

「為よ、おめえ、端唄なんざできるのかよ」

「できねえから習うんじゃねえか」

「あはは、そりゃ道理だ」

為三郎は、指先でつまんだ沢庵《たくあん》を口の中へと放り込んだ。

「いつ出来上がるかは、まだはっきりしちゃいねえが、文蔵《ぶんぞう》親方の隠居《いんきょ》部屋が落成した暁《あかつき》にゃ、祝いの席があるだろ。そこで、おれとおめえが、弟子を代表して祝いの端唄を披露するって寸法よ」

「頭《かしら》たちの木遣歌《きやりうた》に続いて、おれたちの端唄か……。なんとも粋《いき》じゃねえか」

「おおよ。あの二人、いつの間に端唄なんぞを……、ってことになる」

「おれたちのことを、酒と喧嘩しかできねえ、がさつな職人だと馬鹿《ばか》にしてる連中の鼻を明かしてやれるじゃねえか」

左官の文蔵は、二人の師匠で、先日、引退を――文蔵は引退を宣言しては、なんだかんだと理由をつけて復帰してくるのだが――明らかにした。為三郎と八五郎は、文蔵へのはなむけに、隠居部屋を増築することを思いつき、仕事の暇《ひま》を見つけては、増築の普請《ふしん》場《ば》に通っていた。

「為よ。その端唄の稽古だが、その……、謝礼はたけえのか」

「一回、百五十文《もん》らしい」

「百五十文っていやあ、だいたい二八蕎麦《にはちそば》十ぺえ分か……。たいした銭じゃねえな」

為三郎は、ぐい呑《の》みの酒を呑み干した。

「こう考えたらどうでえ。座敷に座りゃ、目の前で、乙な女が三味線《しゃみせん》を爪弾《つまび》いて、粋な端唄を聞かせてくれる。ちょいと一杯、ひっかけていきゃ、料理屋気分じゃねえか。そう思えば、百五十文なんざ屁《へ》みてえなもんだ」

「ちげえねえや。そのお師匠さんとやらを、芸者だと思えば安い謝礼だぜ」

永倉町にある千寿《せんじゅ》長屋は、築三年ほどの新しい長屋で、どこか余所余所《よそよそ》しい雰囲気だ。路地奥右手の軒先《のきさき》には「端唄指南《しなん》」と書かれた木札が下げられ、風に揺《ゆ》れている。その前に立ち止まった為三郎は、八五郎の背中を押した。

「八、おめえから入れ」

「な、なんでおれからなんでえ。おめえがおれを誘ったんじゃねえか」

「よし、わかった。それなら断っておくが、お師匠さんについちゃ、何があっても、おれの方が先だ」

「何があってもって、どういう意味でえ」

「例えばだ。何度か稽古に通うだろ。そのうち『まあ、為三郎さんと八五郎さんは、お酒がお好きなんですってねえ。今度、あたしもご一緒させてくださいな』なんてことになる。そのときは、おれが先だ。おめえは来なくていいからな」

八五郎は、引き戸に伸ばした為三郎の手を押さえた。

「ちょっと待て。引き戸を開けたくれえでそんなことが決まるのかよ。それならおれが開ける。おめえは下がってろ」

為三郎は、八五郎の手を払い除《の》ける。

「今さら何を抜かしやがる。お師匠さんはこの為三郎様のもんでえ。そこをどきやがれ」

二人の真骨頂《しんこっちょう》である取っ組み合いがはじまった。突然に引き戸が開いて――。

「どうかしましたか……」

白地に紺色の縞模様《しまもよう》が入った着物に、紫色の帯。しのびずきに結った黒髪は瑞々《みずみず》しく輝いている。口元には米粒ほどの黒子があり、紅をさした薄い唇《くちびる》。切れ長の目は少し潤《うる》んでいる。色っぽい。どうしようもなく色っぽい。二人の手は止まり、全身は固まった。

「いや、その、この野郎の半纏《はんてん》の肩に埃《ほこり》がついていたもんですから、ちょいと払ってやろうかと……」

為三郎は、握りしめていた半纏の襟《えり》から手を離すと、八五郎の肩を払う仕種《しぐさ》をした。

「そ、そうなんでさあ。こいつは親切な男でしてね。ありがとうよ、為ちゃん」

女は、態《わざ》とらしい演技を続ける二人を見つめて、ゆっくりと瞬《まばた》きをした。色っぽい。とてつもなく色っぽい。

「あら、まあ、それは残念だわ。あたしは、てっきり端唄の入門にいらした殿方だと思ったのに……」

為三郎は、八五郎を押し退《の》けて前に出る。

「そ、その、あっしは、その入門にいらした殿方ってやつなんで……」

八五郎は、為三郎の半纏を引っぱり、肘鉄砲《ひじてっぽう》を食らわせる。

「馬鹿でしょう、こいつは。てめえのことを殿方だって。笑っちゃいますよね。あっしは亀沢町のおけら長屋に住む、左官の八五郎と申します。失礼ですが、お師匠さんの、お園さんでしょうか」

「ええ。あたしが園でございますが」

女は上目遣《づか》いに微笑《ほほえ》むと、後《おく》れ毛《げ》を指先でつまみ、元の位置に戻した。八五郎と為三郎の腰は砕け落ちそうになった。色っぽい。むしゃぶりつきたくなるほどに色っぽい。

「それじゃ、お二人とも、あたしのところで端唄を習うつもりで……。まあ、嬉《うれ》しいわ。どうぞ上がってくださいな」

お園はすっと中に入った。着物の裾《すそ》からチラリと見えた足は豆腐のように白く、滑《なめ》らかそうだ。

「おれが先だ。おめえは下がれ」

「うるせえ、この殿方野郎。おめえを先に入れたら、また恥をかくだけでえ。おれまで馬鹿だと思われらあ」

小競《こぜ》り合《あ》いを続ける二人に、お園が顔をのぞかせた。

「それなら、お二人で一緒に入ればよろしいのに。仲良しで羨《うらや》ましいわ」

この日は、入門の挨拶《あいさつ》だけで終わったが、八五郎と為三郎の二人は、月に三度ほど、端唄の稽古に通うことになった。

端唄は、長唄《ながうた》とは違って歌詞が短く、サラリと唄うことが粋とされていたので、気忙《きぜわ》しい江戸庶民に好まれていた。長唄や新内節《しんないぶし》に比べれば手軽な芸事《げいごと》だったが、不純な動機の二人にとっては簡単ではない。為三郎は名代《なだい》のダミ声、八五郎は評判の音痴である。

最初に習った曲は『梅は咲いたか』だったが、為三郎は、ただ怒鳴《どな》っているだけで、聴く者の鼓膜を破壊した。八五郎は何度三味線を聴いても、どこから唄に入ってよいのかわからず、お園の顔は、苦笑から嘲笑、冷笑へと変化していった。

八五郎と為三郎が四度目の稽古に訪れると、軒先に下げられていた「端唄指南」の木札は姿を消し、代わりに「空家」と書かれた板が下げられている。二人は、風になびくその板を呆然《ぼうぜん》と眺《なが》めていた。

「あんたたちも稽古料を前払いしたクチかい」

隣家から出てきた婆《ばあ》さんが、せせら笑いながら言った。狐《きつね》につままれるとはこのことだ。

「お師匠さんは、どうしたんでえ」

婆さんは「ヒャヒャヒャ」と笑った。歯がないので空気が洩《も》れているのだろう。

「五日ほど前に駆け落ちしたよ。雪之丞《ゆきのじょう》とかいう役者崩れの優男《やさおとこ》に逆上《のぼ》せちまってよ。遊ばれてるのも知らねえで馬鹿な女だ。金がなくなりゃ、すぐに捨てられるのによ。まあ、女なんてのはそんなもんだ。男を騙すのが得意でも、てめえが男に
「てめえが男に騙《だま》されてることにゃ気がつかねえ。ヒャヒャヒャ」

「どこに行ったか知らねえのか」

「みんな同じことを聞くねえ。あんたたちで六人目だよ。駆け落ちする場所を教えて逃げる馬鹿もいないだろ。諦《あきら》めな。乙な色恋の夢を見たと思えば、たいした銭じゃねえだろう。さてと、あと何人来るか、こりゃ楽しみだ」

婆さんは笑いながら家に入っていった。八五郎と為三郎は、顔を見合わせて、がっくりと肩を落とした。

おけら長屋に住む魚屋の辰次《たつじ》は、六間堀《ろっけんぼり》に沿って南森下町《みなみもりしたちょう》に向かっている。天秤棒《てんびんぼう》が肩に食い込むが、足取りは軽やかだ。

南森下町の古家に住む、御家人《ごけにん》の隠居、原島富太夫《はらしまとみだゆう》は、辰次の得意先だ。三月《みつき》ほど前に、同じおけら長屋で暮らす、浪人《ろうにん》の島田鉄斎《しまだてっさい》から富太夫を紹介され、勝手口に出入りするようになった。

原島富太夫は、七十八歳という高齢だが、矍鑠《かくしゃく》としている。武士でありながら、若いころは「三味線の神様」と呼ばれるほど一世を風靡《ふうび》したが、故あって三味線を断ち、その後は、随筆家《ずいひつか》・狂歌師《きょうかし》として活躍した人物。遊び人、趣味人としても名を売ったが、隠居後は慎ましい生活を送る清貧の人となった。今でもその人柄を慕って、様々な身分の人たちが集まってくる。

原島富太夫は、生涯一度も妻を持たなかった。それゆえに子もいない。原島家の家計や台所を切り盛りするのは、お歌《うた》という十九歳の娘だ。

お歌の父、吉村有造《よしむらゆうぞう》は、越後国《えちごのくに》与板藩《よいたはん》の勘定方《かんじょうがた》に出仕していたが、何やら理由あって致仕《ちし》し、三歳になったばかりの一人娘、お歌を伴い江戸に出てきた。妻はその一年前に流行《はや》り病《やまい》で亡くなっている。江戸に出てきた吉村有造が頼ったのが、旧知の原島富太夫だった。富太夫の世話で、本所南割下水《みなみわりげすい》の長屋に住み、内職に励《はげ》んだが、お歌が十三歳のときに病死。富太夫は身寄りのないお歌を引き取った。

「ちはー。魚辰《うおたつ》です」

勝手口から声をかけると、前掛けで手を拭《ふ》きながらお歌が出てくる。

「辰次さん、今日は早いのね」

明るい声と、優しい笑顔。辰次はこの三月《みつき》、お歌に会うために生きているといっても過言ではなかった。寝ても覚めても、頭にはお歌のまん丸い顔が浮かぶ。二十二歳になる辰次は、同じおけら長屋に住む万造《まんぞう》や松吉《まつきち》に、半ば強引に吉原《よしわら》や岡場所《おかばしょ》に連れていかれることもあるが、根は真面目《まじめ》な男で、女に惚《ほ》れたことはなかった。紛《まぎ》れもなく、お歌は辰次にとって初恋の相手なのだ。

「今日は、何があるのかしら。高いものは買えませんよ」

「お任せくだせえって。原島のご隠居さんとこは商売抜きでさあ。今朝《けさ》は活《い》きのいいアジを仕入れてましして。塩焼きもうめえし、タタキってんなら、この場でおろしますよ」

辰次は木桶《きおけ》の中のアジを、お歌に見せた。

「まあ、おいしそうなアジだこと。原島先生は刺身が好物だから、二尾ほどタタキにしてもらおうかな」

「へい。毎度あり～」

辰次は、井戸の水で俎板《まないた》と包丁を湿らせると、鮮《あざ》やかな手つきで、アジを三枚におろす。お歌が見ているので緊張するが、ここが腕の見せどころでもある。

「相変わらず見事なもんねえ……」

「へえ。あっしができるのは、これだけですから。他にはなんの取柄《とりえ》もねえんで」

お歌は、赤い鼻緒の下駄を突っかけて、辰次の手仕事を覗《のぞ》きこむようにした。

「あら、そんなことはないわよ。辰次さんは人を元気にすることができる。私も辰次さんの売り声を聞くと元気になるんだから」

辰次は胸がときめいて、身体《からだ》の中が熱くなった。

暮れ六つ（午後六時）近く、辰次は売れ残ったメザシを焼いて、これから晩飯というところだ。一人暮らしの長屋の部屋は殺風景この上ない。箱膳《はこぜん》、布団《ふとん》、行灯《あんどん》以外には何もない。着物なんてものはたいして持っていないので、箪笥《たんす》も必要ない。

いつ火事になっても、持ち出す財産は何もないのだから気軽だ。

朝が早い辰次の夕刻は、手っ取り早く飯を掻《か》っ込んでさっさと寝てしまうのが慣わしだが、このところは食も進まず、溜息《ためいき》なんぞをついている。何を見ても、お歌の顔が浮かんでくるからだ。皿がお歌の顔に見え、頰擦《ほおず》りしてみる。メザシの頭がお歌に見えるので齧《かじ》ることができない。

引き戸が乱暴に開く。おけら長屋の住人には、声をかけてから、などという心遣いはない。入ってきたのは左官の八五郎だが、今の辰次には、すべてが同じものに見えてしまう。

「お、お歌ちゃん。どうしてこんなところに……」

八五郎は座敷に上がり込むと、まるで自分の家のように、どっかりと腰を下ろした。

「おうおう、なんだその、お歌ちゃんてえのは。寝惚《ねぼ》けるにゃ、まだときがはええぞ。しっかりしやがれ」

「えっ、ああ、八五郎さんでしたか……」

「大丈夫か、おめえ。それにしても相も変わらずシケたもん食ってやがんな」

辰次は箸《はし》を置いた。

「ほっといてくだせえ。ところで何か用ですか」

八五郎は皿の上にあったメザシを一匹つまむと、頭から齧《かじ》りついた。

「あっ、お歌ちゃんが……」

「何を訳《わけ》のわからねえことをほざいてやがるんだ。おお、そうだ。すっかり忘れてた。島田の旦那から小耳にはさんだんだが、おめえ、原島なにがしって人の家に出入りしてるそうじゃねえか」

辰次は完全に正気に戻った。お歌のいる原島家は、今の辰次にとっては何より大切な場所だ。その場所に、おけら長屋の連中――特に、万造、松吉、八五郎――が絡《から》むのは危険極まりない。すべてがブチ壊しだ。ここは相手の出方を探り、余計なことは言わない方が得策だ。

「それがなんだってんですか」

「つまりよ、為三郎の野郎と端唄対決ってことになってよ。お師匠さんは駆け落ちでえ。仕方ねえから、島田の旦那に聞いて、原島なにがしのとこに行くわけよ」

「なんだかぜんぜんわからねえんですけど……」

「察しの悪い野郎だな。噛《か》んで含めるように教えてやるから、よく聞きやがれ」

お園が行方《ゆくえ》をくらました後、八五郎と為三郎は、例によって些細《ささい》なことから言い争いをはじめた。

「しかし為よ。おめえのダミ声は凄《すさ》まじいな。お園さんは、おめえの声に恐れをなして逃げ出したにちげえねえ」

「なんだと。おめえほどひどかねえ。いつになったら出だしがわかるんでえ。お園さんは、あまりの情けなさに姿を消したんでえ」

どんなに馬鹿らしいことでも、こうなると一歩も引かない二人だ。

「よーし。それなら文蔵親方のよ、隠居部屋の披露目《ひろめ》の席で決着をつけようじゃねえか。どっちの端唄がマシかよ」

「受けて立とうじゃねえか。後で吠《ほ》え面《づら》をかくんじゃねえぞ」

思わぬ展開になってしまったが、八五郎が一人で端唄を唄えるようになるなど不可能だ。居酒屋で偶然に出会った島田鉄斎に相談すると、思わぬ収穫があった。

「南森下町に原島富太夫という方がいてな。この原島さんは、かつて三味線の名手として知られた人だ。今でも、端唄や義太夫の関係者と付き合いがあるかもしれん。そうだ。原島さんの家には、魚辰さんが出入りしているから、魚辰さんに聞いてもらえばいい」

八五郎は三匹目のメザシに手を伸ばす。これで辰次の食べるメザシはなくなった。

「というわけだ。その原島なにがしって人に取り次いでもらいてえ」

八五郎が原島家で端唄を習うなど、想像しただけでも身の毛がよだつ。なんとしても食い止めなければならない。だが八五郎はそんな辰次の気持ちなどお構いなしだ。

「いつだ。明日か明後日《あさって》か。なんなら今からでも構わねえぞ。南森下町といやあ、すぐそこじゃねえか。とりあえず酒の一本も用意すりゃいいだろ」

断るどころか、八五郎に流れを作られている。

「こんな時分に行ったら失礼ですよ。明日にでも、あっしが聞いてきますから」

ここで八五郎は少し殊勝《しゅしょう》な顔つきになった。

「それでよ、もし、おれに端唄を教えてくれることになったら、辰次、おめえも一緒に習っちゃもらえねえか。なんか一人じゃ小っ恥ずかしいだろ。なあ、頼むぜ」

日ごろは命令ばかりする八五郎に頭を下げられると弱い。

「あっしは魚屋ですよ。端唄なんざやったこともねえし、興味もねえですよ」

「魚辰、おめえは、おれの隣で座ってりゃいいんでえ」

辰次は考えた。お歌と会うことができるのは、魚屋として原島家を訪ねたときだけだ。もし八五郎と一緒に原島家に通うことができれば、お歌に会える機会もふえる。自分の力でそんな機会を作るなど不可能だ。これは絶好のきっかけではないか。万松の二人に知れて、からかわれたとしても、すべてを八五郎の所為《せい》にすることができる。

「わかりました。原島様に話してみます。ただなんとお答えになるかは、わからねえですよ」

八五郎は、もぐもぐと口を動かしている。

「おう、頼んだぜ」

辰次が箱膳に目を戻すと、食べられるものは、大方なくなっていた。

「しかし、八五郎さんが端唄の稽古とはねえ。言っちゃ悪いが、まるで頭に思い浮かばねえや」

「まったくでえ。何事にも釣り合いってもんがあるでしょう」

松井町にある居酒屋で呑んでいるのは、おけら長屋に住む、米屋の万造、酒屋の松吉、そして八五郎の三人だ。

「そんなこたあ、おめえたちに言われなくたってわかってらあ。だがよ、成り行きってもんがあるんだよ。こうなっちまったら仕方ねえ」

八五郎は大根の糠漬《ぬかづけ》を乱暴に、食いちぎった。

「為三郎さんが絡むと、子供みてえにムキになるんですから」

万造の言葉に松吉も頷《うなず》く。

「それで、端唄は教えてもらえることになったんですかい」

八五郎は、ぐい呑みの酒をあおると、舌を「チッ」と鳴らした。呑むときの癖だ。

「原島富太夫って人は、もう三味線は弾《ひ》かねえらしい。昔は名人と呼ばれたそうだがな。だがよ、原島さんの家には、笹川彦一郎《ささがわひこいちろう》という人が出入りしている。まあ、いってみれば原島さんの弟子みてえな人だろう。この人が端唄の名手で、三味線も弾ける。原島さんの口利《くちき》きで、この笹川彦一郎って人が端唄を教えてくれるそうだ。この人がおもしれえ人でな、五百石《こく》の旗本の嫡男《ちゃくなん》だったが、端唄を究《きわ》めてえって、弟に家を譲《ゆず》って楽隠居しちまった。まだ三十路前って若さだぜ。なんとも粋じゃねえか。挨拶だけはしたが、物静かな風流人だな。おめえたちとは、一生涯、縁のねえお人だ」

万松の二人は同時に酒を吹き出した。

「ちょっと待ってくださいよ。八五郎さんもこっちの仲間じゃねえですか。それも親方みてえなもんでしょう」

松吉は笑いを堪《こら》えながら——。

「ところで魚辰の野郎も一緒に端唄を習うって聞きましたけど」

「ああ、おれ一人じゃ小っ恥ずかしいからよ」

万造は腕を組んで、首を横に振る。

「とんだ災難だな、魚辰も。どうせ無理強《じ》いしたんでしょう」

八五郎も万造の真似《まね》をして腕を組んだ。

「ところがそうでもねえのよ。ふふ。ふっふっふ……」

八五郎は俯《うつむ》いて、笑いを呑み込んだ。

「なんでえ、気持ちわりいなあ。何がおかしいんですかい」

「ふっふっふ。言えねえなあ。特におめえたちにゃあ。あはは」

卓に上半身を伏せた八五郎は、さらに笑いを堪える。その背中は小刻《こきざ》みに震《ふる》えている。

万造は苛立《いらだ》ってきた。

「そんなことされたら、却《かえ》って気になるじゃねえか」

「そうですよ、八五郎さん。何がそんなにおかしいんでえ」

松吉も追従《ついじゅう》する。

八五郎は腹を両手でおさえて床《ゆか》に転《ころ》げ落ちた。

「あははは、あははは……。あー、腹がいてえ。こんなこと、おめえたちに教えたらてえへんなことになるからな。あはは、く、苦しい。助けてくれ。あははは……」

万造の我慢も限界に近づいてきた。

「おう、八五郎さんよ。年上だと思うから下手《したで》に出てりゃいい気になりやがって。おれたちが気がみじけえって知ってるじゃねえか。思わせぶりな笑いなんぞしやがって。いいかげんにしろい」

八五郎は、笑いながら床から這《は》い上がってきた。

「そう怒るなよ。おれの気持ちも察してくれ。こんなおもしれえこと、おれだって喋《しゃべ》りてえよ。だがよ、おめえたちに喋るとロクなことにならねえ。後で大家《おおや》によ『なんであの二人に話したんだ』なんぞと小言《こごと》を食らうに決まってらあ。だが逆に、おめえたちに喋って、おもしれえことが起こるってえのも捨てがてえ。ああ、おれはどうすればいいんでえ。あははは……」

松吉は卓を拳《こぶし》で叩《たた》いた。

「そりゃ、おもしれえことが、いの一番に決まってるじゃねえですか。早く話しやがれ」

八五郎は、笑いが治《おさ》まったようで、酒を少しだけ口に含んだ。

「おめえたち、だれにも喋るんじゃねえぞ。じつはな……。ふふ、あははは……。やっぱり喋れねえ。あははは……」

ついに万造が手を出した。万造の拳骨《げんこつ》が八五郎の額《ひたい》を直撃する。

「いいかげんにしやがれ、この野郎」

それでも八五郎は笑いが止まらない。

「あはは、い、いてえ。何をしやがる。あははは……。ああ、いてえ。まあ、おめえたちが怒るのも無理はねえ。落ち着くまでちょいと待ってくれ」

八五郎は何度も深呼吸をして息を整える。万造と松吉は、拳を前に出して構えた。

「今度笑いやがったら、二人で同時に殴《なぐ》りますぜ。覚悟しやがれ」

両手を顔の前に出した八五郎は首を振る。

「待て、待て。話すからよ。こんなことで殴られたんじゃ堪《たま》ったもんじゃねえ」

少しの間《ま》があって――。

「じつはな……、魚辰の野郎が、恋をしてやがる……」

きょとんとする万松の二人。

「つ、つまり、女に惚れたってことですか」

「そうだ」

「あの魚辰に惚れた女ができたと……」

「そうだ」

しばらくの間があって、ほぼ同時に三人の口から笑いが洩れだした。

「ふふふっ……、おめえたち、これが笑わずにいられるか。あははは……」

万造は床に倒れると、身体を海老《えび》のように折って両手で腹をおさえる。

「あはは、魚辰が。あはは、女に、あはは」

横を見ると、松吉が転げ回っている。勢い余って、卓の脚に後頭部をしこたま打ちつけた。

「あはは、い、いてえ。腹もいてえが、頭もいてえ。あははは」

それを見て、八五郎と万造の笑いは倍増する。こうなると修羅場《しゅらば》だ。涙を流し、呼吸困難に陥《おちい》り、身悶《みもだ》え、のたうち回る。

「た、助けてくれ。あははは。腹の皮がちぎれそうだ。あははは」

「く、苦しい。息ができねえ。わははは。死んじまう。このままじゃ死んじまうぞ。わははは」

「み、水をくれ、水を。あはは、うわあー、こりゃ酒じゃねえか、わははは……」

三人の笑いが完全に治まるには四半刻《しはんとき》（三十分）ほどかかった。

「それで魚辰が惚れた相手ってえのは、どこの女なんですか」

万造は半纏についた埃を払いながら尋ねた。

「原島さんのところに、お歌って娘がいる。歳のころは十八、九ってとこじゃねえか。なんでも、十三歳のときに父親が死んじまってよ、身寄りもいねえってんで、父親の知り合いだった原島さんに引き取られたそうだ。血はつながっちゃいねえが、まあ言ってみりゃ、原島さんの孫みてえなもんだな。今じゃ、原島家の勝手は、このお歌って娘が切り盛りしてるそうだ。だから魚辰とも顔見知りってわけよ。朗《ほが》らかで、愛嬌《あいきょう》があって、お月様みてえな真ん丸な顔でよ。なかなかの娘だ」

松吉の顔はニヤけている。

「魚辰が、そのお歌って娘に惚れてるってえのは間違いないんでしょうねえ」

八五郎は徳利《とくり》を持ち上げると、店の女に酒を注文した。

「おれは、島田の旦那から、魚辰が原島さんの家に出入りしてることを聞いて、魚辰に頼んだんだ。端唄を教えてもらえるよう取り次いでくれねえかってよ。考えてみりゃ、あのときから様子がおかしかったなあ。おめえも一緒に端唄を習わねえかと誘ったら、二日ほどたって『あっしも一緒に習いてえ』と抜かしやがった。おめえたち、これをどうみる」

万松の二人は腕を組んで首を捻《ひね》る。

「うーん、魚辰が何の理由《わけ》もなく端唄を習うなんざ考えられねえな」

「まして八五郎さんと一緒にだなんてよ。八五郎さんといやあ、一緒にいたくねえ代表みてえな人だからなあ」

八五郎は大きく頷く。失言をした松吉は、八五郎の鈍感さに胸を撫《な》で下ろした。

「でもそれだけで、魚辰がお歌って娘に惚れてるとは決めつけられねえでしょう」

八五郎はしたり顔で、店の女から徳利を受け取り、自分の猪口《ちょこ》に酒を注《つ》いだ。

「そこまでならな。笹川って人に端唄を教えてもらえることになってよ、おれは魚辰と一緒に原島さんのところへ挨拶に行ったんだ。魚辰の野郎が妙にそわそわしやがってよ。玄関にお歌ちゃんが出てきたときの魚辰を見せたかったぜ。顔が真っ赤になってよ、心の臓の音が聞こえてくるようだった。おれは知っての通り、がさつな男だがよ、それくれえのことはわかる。間違いねえ。魚辰はお歌って娘に恋をしちまった。いや、あれは恋なんてもんじゃねえ。完全に、いかれちまったってわけよ」

万造が、手をひとつポンと叩いた。

「そういやあ、ありゃ一昨日《おととい》だったかな。夕方に魚辰の野郎がひょっこりやってきやがって……」

万造お得意の一人芝居《しばい》がはじまる。

《万造さん、売れ残っちまった魚があるんですけど》

《てめえ、そんなもんをおれに売りつけようってえのか》

《違いますよ、銭なんか取りゃしませんよ。イワシですが、もう焼いてありますから。よかったら食べてください。晩飯はこれからなんでしょ》

《くれるってえなら、ありがたくもらっておくけどよ。おめえだって晩飯はこれからなんじゃねえのか。おめえが食べりゃいいじゃねえか》

《なんだか食欲がなくて……》

《なんでえ、身体の具合でも悪いのか》

《そんなんじゃねえんです。はあ……》

《おめえ、溜息なんぞつきやがったな。金か、それとも……》

ここで万造は素《す》に戻った。

「女か、ってからかったら、顔を赤くしてけえっちまった……」

松吉は大きな背伸びをした。

「こりゃ、いよいよ大当たりじゃねえか。このところ、おけら長屋にゃおもしれえ話がなかったからな。こいつあいいや」

八五郎は、猪口を口に運ぶと、少し声を低くした。

「で、おめえたち、どうするんでえ」

万松の二人は同時に――。

「どうするって、何をですか」

八五郎は二人の猪口に酒を注いだ。

「こんなおもしれえ話を聞いて、おめえたちが大人しくしていられるわけがねえだろ」

万造は猪口の酒を呑み干した。

「聞き捨てならねえな。まるでおれたちが何かしでかすみてえじゃねえですか」

「そうですよ。他人の色恋にしゃしゃり出るほど野暮《やぼ》じゃねえや」

意外にも八五郎は寂しそうな表情を見せた。

「そうかい。そりゃ残念だな。初《うぶ》な魚辰が、お歌ちゃんに気持ちを伝えられるとは思えねえ。だれかが手助けしてやるか、背中を押してやらねえとなあ……」

万松の二人は顔を見合わせた。


原島家を借りての端唄の稽古がはじまった。笹川彦一郎を驚かせたのは辰次だ。筋《すじ》がよいのだ。

八五郎の要望もあり、習う曲は『梅は咲いたか』になった。辰次は端唄など聴いたこともなかったが、笹川彦一郎が二度ほど唄って聴かせると、すぐにコツをつかんだ。それに比べて八五郎の音痴は、触《ふ》れ込み通りとはいえ、酷《ひど》いものだった。だが、笹川彦一郎は、温和な性格で、嫌な顔ひとつせず根気よく端唄を教えた。

「いいですか、八五郎さん。三味線の前奏は、トントン、シャンシャン、トトントシャンシャン、トントンです。ここで私が『はい』と声を入れますから、『梅は咲いたかー』と入ってください。ではいきますよ。トントン、シャンシャン、トトントシャン……」

「梅は咲いたか〜」

「まだ、『はい』と言ってませんよね。三味線の最後は、トントンですから」

「へい。なんだか焦《あせ》っちまって。申し訳ねえ」

「では、もう一度。トントン、シャンシャン、トトントシャンシャン、トントン。はい」

「……」

「ですから、今の『はい』のところですよ」

「急に言われても入れませんや」

はじめのうちは、横で正座をしながら笑いを堪《こら》えていた辰次だが、そのうち彦一郎が気の毒になってきた。唄い出しどころか、歌詞は覚えられず、音程も合わず、あげくの果てのダミ声。隣家から苦情が出たほどだ。

辰次の番になると、だいぶ端唄の稽古らしくなってくる。

「出だしの『梅は咲いたか』のところは力《りき》まずにさりげなく入りましょう。『桜はまだかいな』ですが、『かい』の後で少し間をおいて『な』となります。そう、そんな感じですね。『柳なよなよ風次第』ですが、文字では『柳』ですが、実際に唄うと『やなぎゃ〜』となる。ここは最後に『あ』をつけて、『やなぎゃあ〜』と伸ばした方が粋ですね。『なよなよ』は、柳が風に揺れる姿を心の中に思い浮かべる。そうすれば聴いている人にもその情景が伝わるでしょう。『風』は、間に『あ』を入れて『かあぜ』にすると、聴き心地がよくなる。『山吹ゃ浮気で』の『山吹ゃ』のところは、芝居で相の手を入れるような感じで。少し枯れた声が乙なわけです。では、やってみましょうか」

彦一郎の三味線に合わせて唄う、辰次の『梅は咲いたか』は、見事なものだった。男にしては細くて高い辰次の声は、端唄との相性がよかった。彦一郎の教えを、その場で飲み込む才能も持ち合わせていた。

稽古が終わると、お歌がお茶を運んでくる。

「驚いた。辰次さん、本当にはじめてなの？　信じられないわ。原島先生も『あの声は本当に魚屋さんかい』って、びっくりしてた」

辰次は赤面する。

「原島先生や、お歌ちゃんのところまで聞こえたんですかい」

「こんな狭い家ですもの、筒抜けですよ」

「するってえと、あっしの声も筒抜けなんですかい」

八五郎の言葉に、お歌と彦一郎は吹き出した。

「ええ、筒抜けどころか、筒が壊れるくらいによく聞こえますよ」

「そりゃ、みなさんに迷惑かけちまって、面目《めんぼく》ねえ」

八五郎が首筋を掻くと、一同は大笑いした。

稽古の帰り道、八五郎と辰次は肩を並べて歩く。

「しかし、人にはどんな取柄があるかわかったもんじゃねえな。おめえに端唄の才能があったとはよ。おかげでおれは、いい恥さらしだぜ」

「そんなこと言ったって……。あっしを誘ったのは八五郎さんじゃないですか」

「ところでよ、原島さんのとこの……、お歌ちゃんといったっけ。あの娘はいいな。明るくて愛嬌があってよ」

辰次は急に言葉が出なくなる。

「お、おい、魚辰、どうしたんでえ」

「な、なんでいきなりそんなことを言い出すんで……」

「なんでって、思いついたからよ。襖《ふすま》の裏でよ、おめえの端唄をうっとりとした顔で聴いてたぜ。ことによると、あの娘は、おめえに惚れてるのかもしれねえなあ……」

「根も葉もないことは言わねえでくださいよ。八五郎さんだけならともかく、そんな話が万造さんや松吉さんに知れたら、どうなるかわかったもんじゃねえや」

だれかが辰次の肩を叩く。振り返ると立っているのは万松の二人だ。

「おれたちが、どうしたって。魚辰さんよ」

呆然とする辰次。

「な、なんでこんなところに……」

万松の二人は何も答えずに、ニンマリしているだけだ。八五郎はサラリとした表情で——。

「よっ、おめえたち、ちょうどいいところに来やがったな。なんだか知らねえがよ、魚辰が相談があるそうだ。おれはちょいと野暮用があるんでよ、おめえたちに任せらあ。それじゃあな」

八五郎は後ろ向きで手を振ったまま、消えていった。

「それじゃ辰ちゃん、そのへんでいっぺえひっかけようじゃねえか」

万造の誘いに、辰次は後退《あとずさ》りする。

「あなた方に相談することなんか、何もありゃしませんよ。だいたいあなたたち……」

松吉が辰次の言葉を遮《さえぎ》る。

「なあ、魚辰。おけら長屋の仲間じゃねえか。隠し事はなしにしようぜ」

「何を言ってるんですか。おけら長屋の仲間、特に万松の二人だから隠したいんじゃねえですか」

辰次の顔を指差して笑う松吉。

「ほら、引っかかりやがった。隠してえことがあるんじゃねえか」

間をあけず、万造が辰次と肩を組む。

「辰ちゃん、とりあえず付き合えよ。話すことがねえなら、それでいいんだからよ」

辰次は半ば強引に松井町の居酒屋に連れ込まれた。イヤな予感がする。帰り道での八五郎の言葉が引っかかっていたからだ。もちろん、お歌のことだ。万松の二人と関わるとロクなことがない。触れられたくない他人の急所に土足で踏み込み、荒らしまくる才能は、すでに語り種《ぐさ》になっている。

辰次は二人の前に座り、盃《さかずき》を受けた。恐ろしい。生きた心地がしない。万造と松吉は、互いの顔を見合うと、同時に頷く。辰次の背中には冷たいものが走った。

「魚辰。おめえ、お歌ちゃんって娘に惚れてるそうじゃねえか」

辰次の息が止まった。

「どうやら、図星みてえだな」

辰次は地獄の一丁目に足を踏み入れた気分になった。

「な、なんであなたたちが、お歌ちゃんのことを知ってるんですか」

「おれたちは地獄耳《じごくみみ》だからよ」

万造は、松吉の耳を引っ張った。

「いてえな。それでどうなんでえ。辰ちゃん、脈はあるのか」

辰次は地獄の二丁目まで進んだ気分になった。

「どうしてあなたたちにそんなことを言わなくちゃならないんですか。ほっといてくだせえよ」

松吉は手を叩いて喜ぶ。

「ほっといてくだせえだってよ。お歌って娘に惚れてることを、てめえで認めてやがる」

こうなると、辰次は蛇《へび》に睨《にら》まれた蛙《かえる》だ。

「噂の出所《でどころ》は八五郎さんか。よりによってこの二人に根も葉もないことを吹き込むなんて」

「根も葉もってことはねえだろ。おめえの顔や仕種を見てりゃ、すべてお見通しなんでえ。話してみろよ。気持ちが楽になるぜえ」

万造は、そう言いながら酒を注ぐ。辰次を酔わす作戦だ。

「お歌ちゃんに惚れてるなんて……。まだそんなんじゃねえんです。知り合って日も浅いし。お願いですから、そっとしといてください。あっしは、お歌ちゃんの顔がたまに見られるだけで充分なんです」

万造は、さらに酒を注ぐ。

「小娘みてえなことをほざいてるんじゃねえ。情けねえ野郎だ。そのお歌って娘が好きなんだろ。指をしゃぶって見てりゃてめえのものになるほど世の中は甘くねえんだ。松ちゃん、おめえの話を魚辰に聞かせてやってくれ」

松吉は酒を舐《な》めるように呑むと、腕を組み、目を閉じた。

「ありゃ、おれが二十歳《はたち》のときだった。出入りしてた味噌問屋《みそどんや》に、お豆《まめ》って女中がいてよ」

横で聞いていた万造が——。

「味噌屋だけに、お豆ってか……。いや、どうぞお続けになってください」

「十八歳の娘でな。こっちの頬にえくぼがあってよ。笑うとかわいいったらありゃしねえ。おれは、そのお豆って娘に惚れちまったんだが、打ち明ける勇気がねえ。お豆ちゃんを失うのが怖かったんだ。結局、そのままになっちまってよ、一年後にお豆ちゃんは嫁にいっちまった。ところが、ところがだ。それから二年後のこと、神田《かんだ》の明神下《みょうじんした》で偶然、お豆ちゃんと出くわしたんだ……」

《お、お豆ちゃんじゃねえか。久しぶりだなあ》

《松吉さん……。元気そうだねえ》

《ああ、相変わらず貧乏暇なしってやつでえ。お豆ちゃんはどうでえ。幸せに暮らしてんのか》

「お豆ちゃんは、ここで少し目を伏せた」

《まあ、なんとかやってる。それにしても運命の悪戯《いたずら》ってやつだね……。あたし、松吉さんのことが好きだった。松吉さんと夫婦《めおと》になれたらって、願掛《がんか》けしたこともあったっけ。それがこの神田明神だったんだ。ここで松吉さんと偶然に会わせるなんて、明神様も意地が悪いねえ。あたしはもう他人の女房だっていうのにさ……》

「おれは、あのときの、お豆ちゃんの潤んだ瞳が忘れられねえ。後悔しても後悔しきれねえや。なんでてめえの気持ちを打ち明けられなかったんだろうってよ。相手にぶつかってフラれちまった方が、よっぽど清々《せいせい》するじゃねえか。それが江戸っ子ってもんだろ。魚辰よ。そうは思わねえか。おれは、おめえに同じしくじりをしてほしくねえんだよ」

もちろん松吉の作り話だとは思う。だが辰次には戯言《ざれごと》とは思えなかった。松吉の話には不思議な説得力がある。万造は、徳利を持つと、猪口の酒をあけるように促《うなが》した。

「辰ちゃん、男と女にとって大切なのは、きっかけだ。おめえの気性じゃ、きっかけが作れねえ。だからよ、おれたちが作ってやらあ。べつに、そのお歌って娘を騙すわけじゃねえ。辰次って男を知ってもらうためよ。どうせ、このままじゃ、おめえは何も打ち明けられずに終わっちまうんでえ。だったら何か事を起こした方が利口だと思うぜ」

手提《てさ》げ籠《かご》に野菜を入れたお歌が歩いてくる。その姿が近づいてくると、辰次の胸の鼓動は速さを増した。この角で辰次は、お歌と偶然に出会うのだ。買い物に出たお歌の帰る道はわかっている。辰次は目を閉じて、台本を復習《さら》った。お歌の下駄の音が近づいてくる。

「あら、辰次さん」

「お歌ちゃん、買い物ですか」

お歌は丸い顔をほころばせた。

「ええ。これから帰るところ。辰次さんは」

「あっしは、お宅に端唄の稽古に伺《うかが》うところで」

「あら、それじゃ一緒に行きましょう」

辰次は自分の顔が赤くなったのがわかって下を向いた。

「そ、それ、あっしが持ちましょう」

「えっ、いいわよ」

辰次は半ば強引に籠を奪うと、歩きだした。大泉《おおいずみ》神社の鳥居《とりい》脇で、二人の男が、気の弱そうな男に因縁《いんねん》をつけ、暴力を振るう。三人とも万松の知り合いだ。そこに辰次が割って入り、毅然《きぜん》とした態度で殴られている男を助けることになっている。

「きっかけってことなら、あっしとお歌ちゃんが、帰り道で出会うだけでいいでしょう」

万造は首を横に振る。

「余興がねえと面白《おもしろ》くねえだろ。せっかくの機会だ。おめえの株を上げようじゃねえか。女ってえのは男らしい男が好きなんでえ。おめえの姿を見て、ホロッとするにちげえねえ」

「それじゃまるで三文芝居《さんもん》じゃねえですか」

「うるせえ。おれたちに任せておきゃいいんでえ」

大泉神社の鳥居が見えてきた。空き地の木陰から女の叫び声がした。目をやると、着流しで、いかにも与太者《よたもの》といった風体《ふうてい》の男二人が、武家の妻女《さいじょ》に絡んでいる。

「ご新造《しんぞう》さんよ。ちょいと酌《しゃく》をしてくれるだけでいいんだからよ。付き合ってくれよ」

妻女は、つかまれた手首を振り解《ほど》こうとしている。辰次は混乱した。何かの都合で事情が変わったのか。

「放してください。道を尋ねただけではありませんか」

お歌もこの事態に気づいている。本物か芝居かはわからないが、素通りすることはできなくなった。辰次は籠を置くと、お歌には下がっているように手で合図をした。

「おらおら、何をしてるんでえ。その人はいやがってるじゃねえか」

与太者二人は、辰次の方を向く。

「なんでえ、てめえは。怪我《けが》したくなかったらすっこんでな」

辰次はめくばせを送るが、二人からはなんの反応もない。こうなりゃ自棄糞《やけくそ》だ。辰次は与太者と妻女の間に割り込むと、男の着流しの襟を遠慮がちに握った。そして小声で――。

「あんたたち、万造さんの……」

いきなり容赦《ようしゃ》のない拳骨が顔面に飛んできた。衝撃とともに火花が散った。本物だ――。尻餅《しりもち》をついた辰次は、薄れかかる意識の中で必死に立ち上がる。今度は腹を蹴《け》られた。

「辰次さん――」

お歌の声だろう。耳鳴りがしてはっきり聞きとることができない。息もできない。背中や顔を何度も踏みつけられた。

「辰次さん――。いや、放してください」

「おい、女がもう一人増えたぜ。飛んで火に入るなんとやらだ」

お歌ちゃんもつかまったのか。罰《ばち》だ。人の心を弄《もてあそ》ぼうとした報《むく》いだ。自分は立ち上がることさえできない。なんという惨《みじ》めさ。なんという哀れさ。殺してくれ。このまま死なせてくれ――。

男の怒鳴り声が聞こえ、激しく争う気配《けはい》の後、あたりは静かになった。

「辰次さん、しっかりして辰次さん……」

自分の上半身を抱き起こして、揺すっているのはお歌だ。目を開けると、その背後に男の姿がぼんやりと見える。

「魚辰さん、大丈夫か」

「し、島田の旦那……」

そこに立っていたのは、おけら長屋の住人、浪人の島田鉄斎だ。

首を振ると視界の焦点が少しずつ合ってきた。側には男が二人、転がっている。

気を失っているようだ。

「島田の旦那が助けてくれたんですか」

「ああ、たまたま通りかかってな。魚辰さん、無理に喋らない方がよい」

そこに駆けつけてきたのは万造と松吉だ。

「何の騒ぎかと思って来てみりゃ、魚辰じゃねえか。てめえ、こんなところで何してやがる。大泉神社の鳥居って言ったじゃ……」

松吉が万造の脇腹に肘鉄《ひじてつ》を食わせた。島田鉄斎は、万造と松吉の顔を交互に見ながら――。

「何か子細がありそうだが……。まあ、今はそんなことより、魚辰さんを聖庵《せいあん》先生に診《み》てもらうのが先だ」

万松の二人は、辰次を担《かつ》ぎ起こす。鉄斎は妻女に声をかけた。

「怪我はありませんかな」

「はい。危ないところをお助けいただき、ありがとうございました。道を尋ねる相手を間違えたようです」

　武家の新造とみえて、取り乱しもせず姿勢を正して礼を述べた。

「そちらの娘さんは……、おや、あなたは確か原島さんのところの……」

「お、お歌です」

　お歌の身体の震えは、なかなか治まらなかった。


　静かに引き戸が開き、ひょっこりと顔をのぞかせたのは、おけら長屋に住む、たが屋、佐平《さへい》の女房、お咲《さき》だ。

「魚辰さん、生きてるかい。死んじゃいないようだね。お客さんだよ。どうぞ入ってくださいな」

　少しの間をおいて、辰次の家に入ってきたのはお歌だ。辰次は慌《あわ》てて床《とこ》から起きようとするが、苦痛の声を洩らす。聖庵の見立てによると、折れてはいないが、左のあばら骨にヒビが入っているそうで、息を吸い込んだだけで激痛がはしる。

　お歌は脱《ぬ》いだ下駄を揃《そろ》えようともせず、座敷に駆け上がってきた。

「辰次さん。無理はしないで、横になっててください」

　お歌は辰次の背中に手を添えると、ゆっくり寝かしつける。

　辰次の心の中は情けなさでいっぱいだ。男としてあのような無様《ぶざま》な姿をさらし、そしてこのように介抱されている。お歌が見舞いに来てくれた嬉しさより、惨めさの方がはるかに大きかった。まだいくつもアザが残る辰次の顔を、お歌は優しく見つめた。

「あたしにできることがあったらなんでも言ってくださいね」

辰次は首を横に振る。

「食事とか、洗濯とかはどうしてるの。あたしでよければ……」

「長屋のおかみさんたちが面倒をみてくれますから」

「よかった。喋ることはできるのね」

お歌はもの珍しそうに部屋の中を見回す。

「きれいに片付いてるし、埃《ほこり》ひとつない。お節介と人情で名高いおけら長屋だものね。他人が入りこむ隙間《すきま》はないか……」

小さな溜息が辰次の耳に届いた。

「すいませんでした。お歌ちゃんまであぶねえ目に遭《あ》わせちまって。島田の旦那が通りかからなきゃ、どんなことになっていたのか……」

「ううん……」

お歌は小刻みに首を振る。

「辰次さん、男らしかったわ。一人であのご新造さんを助けようとしたんだもの。

損得や結末なんて関係ない。真《ま》っ当《とう》な人としての振る舞いだもの」

このひと言は堪《こた》えた。本当はその男らしさで、お歌を騙そうとしていたのだから。万松にとっては、いつものたわいない洒落《しゃれ》だ。あの二人に悪気はない。でも自分にとっては洒落では済まされない悔《く》いになってしまった。

「辰次さんは、こんな大怪我をして、何日も仕事を休んでいる。でも怪我は治るし、仕事だってできるようになる。でもあのとき、知らん顔して通り過ぎたらどうなっていたのかしら。その悔いや恥ずかしさは、ずっと心の中に残るんじゃないかな」

このひと言は、堪えるどころか突き刺さった。

辰次は悩んだ。本当のことを打ち明けるべきなのか。お歌を騙そうとしたことを詫《わ》びることにためらいはない。だがそれは同時に、お歌に対する気持ちを告白することにもなる。こっちの気持ちはそれで済むかもしれないが、お歌に重荷を背負わせることにもなってしまう。だが人の心の片隅には魔物が潜んでいる。

お歌が見舞いに来た真意はどこにあるのだろうか。一緒に歩いていた知り合いが騒動に巻き込まれ大怪我をした。その場に居合わせたのだから、見舞いに来るのは筋《すじ》だろう。

だが本当にそれだけなのか。お歌が自分に好意など持っていないと言い切れるのか。好きでもない男の食事や洗濯の世話を申し出るだろうか。もちろん、お歌はだれに対しても優しい娘だ。だが、出入りの魚屋というだけの男に、こんなに親切にしてくれるだろうか。

ひょっとすると、ご新造さんを助けようとした自分に惚れたと考えることもできる。惚れたなどとは大袈裟《おおげさ》だが、好意くらいは持ったのかもしれない。確かに、万松の考えた悪巧《わるだく》みに乗った。それは紛《まぎ》れもない事実だ。だが、もしそんな悪巧みがなかったとして、あの場面に出くわしたとしたら……。同じ行動をとったのではないか。絶対にそうしていたはずだ。だから結果として、万松の考えを利用したことにはならない。だとすれば、お歌に恥じることもない。あのご新造さんを助けるために、こんな大怪我をしたのも事実だ。少しはよい目をみたって罰は当たらないはずだ。そんな考えが四分六《しぶろく》で優勢になったころ――。

「あたし、本当は辰次さんのお見舞いに来たんじゃないのよ。お礼を言いに来たんだ。じつはね……」

お歌は一度、深呼吸をすると、自分の胸に手を置いた。

「あたし……、好きな人がいるんだ。でも怖くて打ち明けることができなかった。でもね、今度のことで勇気が湧《わ》いてきた。どんなに傷ついたって、恥ずかしい思いをしたって、逃げちゃ駄目なんだって。ぶつからなきゃいけないんだって。それを辰次さんが教えてくれた。辰次さん……」

お歌はここで言葉を切った。辰次の心はときめいた。お歌が好きになった男とは……。

辰次は息を呑んだ。

「あたし……、笹川先生のことが好きなんです」

辰次の心の中で何かが崩れていく。

「……さ、笹川先生、……とお歌ちゃんだったらお似合いですよ。だれだってそう思いますって」

お歌はほんのりと頬を赤く染めた。

「大丈夫ですって。きっと笹川先生だって、お歌ちゃんのことが、だ、大好きだと思いますよ」

お歌は微笑《ほほえ》みながら――。

「どうして、そんなことがわかるの」

「だって、お歌ちゃんのことを嫌いな男なんて、いるわけねえですから。……あっしだって、お歌ちゃんのことが大好きなんですから」

お歌は小さな声で笑った。

「あら珍しい。辰次さんもそんな冗談が言えるのね」

辰次は心の中で叫ぶ。

(冗談じゃねえ。おいら、お歌ちゃんのことが大好きなんでえ。寝ても覚めても、お歌ちゃんのことばかり考えてるんでえ。畜生《ちくしょう》、畜生、畜生〜)

辰次は枕元に置いてある桶を指差した。

「すいません、お歌ちゃん。その桶の中にある手拭《てぬぐ》いを絞っちゃもらえませんか。目の腫《は》れを冷やしてえんで」

手拭いで目を隠すまで、お歌に涙を見せることはできない。辰次は目頭《めがしら》が熱くなってくるのを必死に堪《こら》えた。

辰次の怪我もだいぶよくなり、端唄の稽古が再開した。辰次には端唄を習う意味がなくなってしまったが、今さらやめるわけにもいかない。原島家に向かう途中、八五郎が、滅多《めった》に見せぬ真面目な顔つきで――。

「すまねえ、魚辰。おめえ一人じゃどうにもならねえと思って、万松の馬鹿どもをけしかけたら案《あん》の定《じょう》だ。この通りだ、勘弁してくれ」

八五郎は、立ち止まると頭を下げた。

「よしてくださいよ。あっしはなんとも思っちゃいませんから」

「よっ、魚辰は男の中の男だねえ。原島家で聞いたところによると、お歌ちゃんは、笹川先生と所帯《しょたい》を持つことになったそうじゃねえか。まさに、おめえは踏んだり蹴ったりってやつだ。しかも本当に、踏んだり蹴られたりされてやがる。洒落になってねえや。まあ、何事も経験だ。おめえはひと回りでけえ男になったってことよ。それから、万造と松吉のことだが……、敵《かたき》は討《う》ってやるから安心しろ。それであいつらのことも勘弁してやってくれ」

辰次は一度、立ち止まって笑顔を作る。

「ちはー、魚辰です」

勝手口から出てきたお歌は恥ずかしそうに俯いている。

「聞きましたよ。笹川先生と所帯を持つことになったそうで。おめでとうございます」

「ありがとう。辰次さんのおかげです。それで……、原島先生が、祝い事は早いほうがいいと言うので、来月、この家でささやかですけど祝言《しゅうげん》をあげることになったの」

辰次は、手をひとつポンと叩いた。

「それじゃ、あっしからの祝いってことで、でっけえ鯛《たい》を差し入れさせていただきやすから」

お歌は首を横に振ると、勝手口の板の間に正座をした。

「祝言の席で、辰次さんに『梅は咲いたか』を唄ってほしいの。あたし、辰次さんの『梅は咲いたか』が大好きなの。それに笹川先生が教えたんでしょ。ねっ、お願い」

辰次は両手を前に出す。

「とんでもねえ。あっしなんかが。それにあの端唄は、祝言で唄うような唄じゃねえでしょう」

「いいの。どうしても聴きたいんだから。原島先生に相談したの。そしたらね、『それならわしが三味線を弾こう』って。詳しいことは知らないけど、原島先生は昔、惚れた女の人と何かがあって——たぶんその女の人は死んでしまったと思う——三味線を断《た》ったの。でも、あたしの祝言のために、一度だけ三味線を弾いてくれるって。辰次さんの唄なら本望だって言ってくれたの」

祝言の当日、原島富太夫は数十年ぶりに三味線を手にした。その容姿、音色《おんしょく》ともに名人と謳《うた》われるに値するものだ。辰次はこの唄にすべての想いを込めるつもりだった。だが原島富太夫の三味の音が耳に入った途端に、心の中が無になっていく。

梅は咲いたか　桜はまだかいな
柳ゃなよなよ風次第

山吹ゃ浮気で　色ばっかり
しょんがいな

酒席となり、列座していた島田鉄斎は、原島富太夫に声をかける。

「素人《しろうと》の私が申すのも僭越《せんえつ》ですが、まことに素晴《すば》らしい。まさに名人です。何十年も三味線を手にしていなかったとは思えません」

「確かに島田殿は素人ですなあ」

思いがけない原島の言葉に、鉄斎は目を見開いた。

「私の三味線よりも、あの魚屋さんの端唄に驚いてください。筋がよいとは思っていましたが、殻を破りましたな。心で唄う何かを手に入れた。男にとって女は諸刃《もろは》の剣《つるぎ》ですな」

「ほう、さすがは名人。読みが深いですなあ」

島田鉄斎は、雛人形のように並んで座る笹川彦一郎とお歌を眺めながら盃を口へと運んだ。

さて、この話には後日談があり――。

文蔵親方の引退と隠居部屋の落成祝《いわい》を兼ねた宴席で、端唄を披露した八五郎と為三郎だったが、予想通り大顰蹙《だいひんしゅく》を買った。

「おう、てめえたち。おれの引退にケチをつけようってえのか。それも二人揃ってときてやがる。なんだ、その端唄は。酒や料理はまずくなる。子供は泣きだす。爺《じい》さんは腰を抜かしちまう。婆さんは座りションベンしちまった。おれに喧嘩でも売る気か」

平身低頭《へいしんていとう》する八五郎と為三郎。

「いや、親方、そんなつもりじゃねえんで……」

文蔵親方の怒りは治まらない。

「引退はやめにする。明日から、てめえたちの仕事をきっちり見定めてやるからな、覚悟しろい」

二人は、がっくりと肩を落とした。

そのころ万造と松吉は——。

「おい、松ちゃん。この長屋じゃねえか」

「おう、そうだ。この右奥らしいや」

数日前に八五郎から聞かされた話はこうだ。

「永倉町に、めっぽう色っぺえ端唄のお師匠さんがいる。安い稽古料でよ……、教えてくれるのは端唄だけじゃねえらしい。おれもあと一歩ってとこまでいったんだがよ。女房持ちってことがバレちまって、惜しいことをしちまった。おめえたちが行くのは勝手だがよ、おれの名前は出さねえでくれよ。こっちはフラれちまった身だからよ。頼んだぜ」

隣に住む婆さんの予言通り、あっけなく雪之丞に捨てられたお園が永倉町の長屋に戻ってきていた。江戸の男は「金を返せ」とは口が裂けても言ってこないので安心だ。一度、懐《ふところ》から出した金を惜《お》しむのは、江戸っ子としてもっとも恥ずべき行為だからだ。

「端唄指南」と書かれた木札が風に揺れる引き戸の前で、押し合い問答を続ける万松の二人。引き戸が開いて出てきたのは、口元に米粒ほどの黒子がある三十がらみの女だ。色っぽい。色っぽすぎる。

「あら、どうかしましたか……」

お園は思わせぶりに微笑んだ。

本所おけら長屋(三)　その弐

こばなれ

本所亀沢町《ほんじょかめざわちょう》にある、おけら長屋《ながや》に住む浪人《ろうにん》、島田鉄斎《しまだてつさい》に決まった本業はない。三ツ目之橋《みつめのはし》近く、林町《はやしちょう》にある剣術道場では師範《しはん》の補佐役を務《つと》める。この肩書きも曖昧《あいまい》なものだ。はっきりしていることは、塾長を含めただれよりも強いということ。元は津軽黒石藩《つがるくろいし》の剣術指南役《しなんやく》なのだから当然といえば当然だ。

フラリと道場に現れると、門弟たちに稽古《けいこ》をつけ、些少《さしょう》の報酬を得る。剣の腕だけではなく、人としても門下生たちに尊敬されており、塾長や師範、門弟たちとの関係も良好だ。

月末になると既知《きち》の商家から用心棒を頼まれることもある。多額の集金の際には番頭《ばんとう》に同行し、その夜は金庫番として商家に泊り込む。鉄斎にとっては、ただ歩いて宿泊するだけで稼ぎになるのだから、ありがたい話だ。

おけら長屋での生活は気楽なものだ。不自由を感じることがない。

「里芋の煮っころがし、作りすぎちゃった。ここに置いときますから、後で食べてくださいな」

「あらあら、旦那《だんな》。袴《はかま》の裾《すそ》がほつれてるじゃありませんか。ほらほら、脱《ぬ》いだ、脱いだ。明日の朝までに縫っときますから」

「一緒に洗っちまいますから、褌《ふんどし》を出してくださいよ。恥ずかしがる歳《とし》でもないでしょう」

長屋のおかみさん連中にかかっては、鉄斎も子供扱いだ。

大家《おおや》の徳兵衛《とくべえ》は、甘い菓子が手に入ると鉄斎を呼びに来る。茶を飲みながら徳兵衛のこぼす愚痴《ぐち》を聞くのも鉄斎の日課だ。

「困ったものです。また万造《まんぞう》と松吉《まつきち》の二人が……」

徳兵衛の愚痴では必ず主役となる万松の二人には、松井町《まついちょう》の居酒屋に顔を出せば会える。そこに左官《さかん》の八五郎《はちごろう》や、たが屋の佐平《さへい》が合流すれば、酒席は果てしなく盛り上がる。喧嘩《けんか》や騒ぎは日常茶飯事《さはんじ》。鉄斎にとって、おけら長屋は、まさに極楽だ。

「島田先生にご来客です」

道場の隅《すみ》で汗を拭《ふ》いていると、新参の門弟が鉄斎に声をかけた。

「はて、私に客とは珍しいな」

鉄斎が首を傾《かし》げたので、門弟は気を利《き》かせる。

「武家のご妻女《さいじょ》とお見受けしました」

余計に心当たりがない。鉄斎は道着の襟《えり》を整え入口へと立った。そこに凛《りん》として立っているのは、絵に描いたような武家の妻女。その背中に隠れるようにして、元服《げんぷく》前の少年がいる。母子《おやこ》であることは間違いないだろう。鉄斎は、この二人に見覚えがない。

「島田鉄斎です。私に何か……」

妻女は矢のような視線を鉄斎に放った。その視線からは強い決意が感じられた。

(厄介《やっかい》なことにならなければよいが……)

そんな思いを胸によぎらせながら、その母子を道場の右奥にある座敷に通した。

妻女は鉄斎に折り目正しく一礼すると――。

「私は、黒石藩御細工所同心《おさいくしょどうしん》、福原伴蔵《ふくはらともぞう》の妻で卯乃《うの》と申します。ここに控えておりますのは、嫡男《ちゃくなん》、龍之介《りゅうのすけ》でございます」

妻女は、首を横に動かす。

「龍之介、ご挨拶《あいさつ》なさい」

少年は、その声に気圧《けお》されたように、か細い声で自《みずか》らの名を述べた。

黒石藩といえば、鉄斎が剣術指南役を務めていた津軽の小藩である。母子に訛《なまり》がないので、福原伴蔵という藩士は江戸在勤なのだろう。

「それで、私にどのような用件がおありなのでしょうか」

卯乃はせきを切ったように話し出した。

「藩主、高宗公《たかむねこう》が二年ほど前、江戸藩邸内に研明館《けんめいかん》を新設されたのはご存知でしょうか。元服前の藩士子弟のための学校でございます。お殿様《とのさま》は、藩の将来のためには教育が有意義と考え、藩士子弟が身分や家柄に関係なく学ぶことができる学校を設立されたのです」

鉄斎の脳裏には高宗公のやんちゃな顔が浮かんだ。江戸藩邸内に学校を持つ藩はそれほど多くない。学校の規模や形態は、それぞれの藩によって異なるが、優秀な人材を育てることの大切さを知る開明的な藩は、最近では江戸でも藩校を創設することが増えてきているという。しかし、黒石藩は北国津軽の小藩である。藩主は田舎《いなか》大名と揶揄《やゆ》され、藩士藩民とも食べるのに精一杯で、これまでは教育どころではなかった。鉄斎が高宗に仕《つか》えていたころには、学校の話など聞いたことがない。江戸藩邸内に設立された研明館は、高宗が推進する藩政改革のひとつなのだろう。教育は投資だ。それはすぐ実がなるものではない。財政も楽ではない小藩の藩主の英断に、鉄斎は感服した。

「お殿様は、自らが先頭に立ち、倹約に努め、学校設立に尽力されたそうです。私たちはお殿様の君恩にお応《こた》えせねばなりません」

「なるほど、立派な心がけでございますな」

鉄斎は、ここで少しばかり間《ま》をおいて――。

「それで私にどのような……」

卯乃は、真っ直《ます》ぐに伸びた背筋《せすじ》を、さらに正した。

「私の父は黒石藩で普請奉行《ふしんぶぎょう》を務め、百五十石《こく》を承《うけたまわ》っておりました。私の口から申すのも……、その、黒石藩では名家と申しても恥ずかしくはない家柄でございました。ところが、架設した橋が一年たらずで決壊。父は普請奉行を失職し、大納戸役《おおなんどやく》に格下げとなりました。私には二百石の大目付《おおめつけ》の嫡男という許嫁《いいなずけ》がおりましたが、父の失職により縁組は破談。屈辱ではございましたが、三十石の御細工所同心に嫁《とつ》いだのでございます。聞くところによりますと、お殿様が学校を設立された目的のひとつに人材登用があるとか。身分や家柄にかかわらず、成績優秀な者には重要な役職に就《つ》く機会が与えられるそうです。龍之介は、和学、漢学、算法、書道などの学問においては優秀な成績を修めております。しかし、剣術、馬術などが不得手《ふえて》。先日、藩邸内で島田鉄斎殿のお噂《うわさ》を耳にしました。元は黒石藩の剣術指南役で、お殿様からのご信頼も厚いとか。文武両道こそが武士の本分。ぶしつけではございますが、この龍之介に剣術を指南していただきたいのです」

卯乃はゆっくりと低頭《ていとう》した。その動きにつられるようにして、龍之介も頭を下げる。鉄斎は二人には悟《さと》られぬよう、小さな溜息《ためいき》をついた。

「あなたの用向きはわかりましたが、ご子息も同じ考えなのですな」

鉄斎が龍之介に視線を送ると、龍之介は素早く目を伏せた。

「もちろん龍之介も同じ考えでございます」

卯乃は断言した。その口調《くちょう》には「違う考えなどはあり得ない」という傲慢《ごうまん》さが感じられる。武家ほど家格によって身分を固定され、生まれる家によって生涯を左右されるものはあるまい。下級武士に出世は望めない。文武に優《すぐ》れた次男三男であれば、養子先に恵まれる可能性もあるが、嫡男となれば現実は厳しい。家柄にとらわれず、優れた者を登用する考えは正しい。可能性があるから切磋琢磨《せっさたくま》する。努力しても実らぬなら努力をする意味がない。

だが卯乃の思いは少し歪《ゆが》んでいるようだ。自尊心は屈辱を生みだす。名家を自負していた者が失脚し、その姿を世間にさらさねばならない恥辱は計《はか》り知れないものがある。しかし子供にも人格はある。子供を親の願望の道具にすることは許されない。

「龍之介さんといったね。あなたもお母上が申されるように、私から剣術を習いたいと思っているのかな」

即座に卯乃が口をはさむ。

「もちろんです。武士にとって剣術は……」

今度は鉄斎が口をはさむ。

「あなたに聞いているのではありません。ご子息に尋ねているのです」

「はい。母の申し上げる通りでございます」

龍之介は力なく答えた。鉄斎は視線を卯乃に動かした。

「先程から、ご主人……、確か、福原伴蔵殿と申されたかな。福原殿の意向がまったく聞こえてきませんが、福原殿はどのようなお考えなのですかな」

卯乃は人を小馬鹿《こばか》にするような鼻息を洩《も》らした。

「恥ずかしながら、私の主人……、龍之介の父親は、武士にあるまじき情けない男でございます。志《こころざし》というものがまるでありません。出世をするための精進《しょうじん》もせず、心身を鍛えようともせず、歯痒《はがゆ》さを通りこして呆《あき》れるばかりです。非番の日は河原で釣り糸を垂れ、野山を散策して俳句などを詠《よ》む始末。見るに堪《た》えませぬ。近ごろでは、浅草《あさくさ》や両国《りょうごく》にできた寄席場《よせば》などという愚《おろ》かしい場所に出入りし、落《お》とし噺《ばなし》を聴いているとか。だいたいあのような場所は町人が通うもので、武士が顔を出すようなところではございません。先日は、そのような如何《いか》わしいところに龍之介を連れていったそうです。まったく何を考えているのか。龍之介には父親のようになってほしくないのです。もう主人のことはとっくに諦《あきら》めております。福原家は、この龍之介に託します」

卯乃の目つきは一段と鋭くなった。

福原龍之介は、島田鉄斎の預りという形で誠剣塾《せいけんじゅく》の門下生となった。誠剣塾では元服前の十三歳での入門は異例である。通常であれば入門は拒否していたはずだ。なぜ入門を認めたのか、鉄斎自身にもよくわからなかった。強《し》いていえば、父、母、息子という三人の関係に興味を抱いたからかもしれない。

龍之介は細身で非力な少年だった。筋力がないために、振り下ろした木刀をピタリと止めることができない。四半刻《しはんとき》（三十分）ばかりの基本的な稽古で息も上がっている。

「龍之介、剣術を習う前にしなければならぬことがたくさんあるな。まず体力をつけ、筋力をつけることだ。今のままでは木刀に振り回されているだけだ」

龍之介は素直に返事をする。だが、その返事から強い志を感じとることはできない。

福原伴蔵は、小名木川《おなぎがわ》と大川《おおかわ》が交わる万年橋《まんねんばし》近くで釣り糸を垂れている。非番の日は下屋敷内にある自宅にいても、気が休まるときはない。妻の卯乃は一日中、自分、あるいは龍之介に小言《こごと》を言い続ける。伴蔵のすることは、歩き方から喋《しゃべ》り方まで、気に入らないことばかりなのだから、一緒にいない方がお互いのためだ。

だれが置いたのかは知らないが、川縁《かわべり》には長床几《ながしょうぎ》があり、見知らぬ男が伴蔵の隣に腰を下ろした。その男は川面《かわも》で風に揺れるウキを眺《なが》めている。

「まったく引きませんな」

「そのようです」

「場所を変えてみるつもりは……」

「変えたところで同じことです」

「それはまたどうして」

「餌《えさ》をつけておりませんので」

しばらくの間があって、男は笑った。

「これは酔狂《すいきょう》なことで。何故《なにゆえ》に」

「ただ川面を眺めているだけでは絵になりませんからなあ」

その男は、また笑った。

「貴殿には風流もおありのようですな……。突然に失礼ですが、福原伴蔵殿ですか」

伴蔵は、はじめてその男の顔を見た。

「いかにも。福原伴蔵でござるが、貴殿は……」

「浪人、島田鉄斎と申します」

「島田殿……。はて、どこかでお会いしたことがございましたかな」

「いえ。福原殿にお会いするのははじめてです。私は誠剣塾という剣術道場で師範代の真似事《まねごと》をしている者です」

「誠剣塾、誠剣塾……」

　ここで伴蔵は膝《ひざ》を叩《たた》いた。

「おお、龍之介が通うことになった剣術道場の……」

「いかにも。じつは……、おっ、福原殿、引いておりますよ。ほら」

　ウキが沈み、しなる釣竿《つりざお》。伴蔵が慌《あわ》てて竿を引くと形のよい鯉《こい》が飛び跳ねる。

「困りましたな。魚が釣れるなどは思いのほかで、魚籠《びく》も持っておりません。逃がしてやりましょう」

　伴蔵は鯉を手繰《たぐ》り寄せると、針を外《はず》した。鯉はまるで礼でも言うかのように、口をパクつかせると水中に消えていった。

「不思議なものですな。鯉などは滅多《めった》に釣れるものではないのに……」

「福原殿に欲がなかったからでしょう」

　伴蔵は、釣糸を竿に巻きつけながら、唐突に言った。

「酒を呑《の》みませんか。と言っても拙者《せっしゃ》には金子《きんす》の持ち合わせがない。返すあてもなく、出世払いも望めない。馳走《ちそう》していただければありがたいのだが……」

「正直な方ですな。安酒場でよければ」

　鉄斎と伴蔵が立ち上がると、まるで二人を見送るように水面で鯉が跳ねた。

　鉄斎は福原伴蔵を松井町の居酒屋に誘った。三十石とはいえ、主《あるじ》持ちの武士に違いはない。浪人から酒を馳走になるなど自尊心が許さぬことだろうが、福原伴蔵は恥も外聞もなく、嬉《うれ》しそうにしている。

「島田殿は三年余り前まで、当藩で剣術指南役をされていたとか」

「長い期間ではありませんでしたが」

「それはよかった」

伴蔵は至極《しごく》の表情で猪口《ちょこ》を口へ運ぶ。

「それはまたどうして」

「寒いからです。私も藩務で何度か津軽に赴《おもむ》いたことがありますが、あれは並の寒さではありませんからなあ。おっと、殿はその極寒の地で藩士藩民のために精励《せいれい》されているのですから、他人に聞かれたら切腹ものですな。あっはっは」

憎めない男だ。だが卯乃の性格では堪《た》えられないのも理解できる。

「奥方より、御細工所同心とお聞きしましたが、どのようなお役目なのでしょう。私は剣術ばかりで藩政には疎《うと》いものでして」

「殿がお使いになる道具をお作りする役目ですが、最近は藩の特産物になるような工芸品を考案するようにとも命じられています。藩の財政を成り立たせるためには、これを諸国に売り込み、貢献しなければなりません。赤穂《あこう》藩であれば塩、加賀《かが》藩なら漆器や金象嵌《ぞうがん》、宇和島《うわじま》藩ですと朝鮮人参の栽培や寒天の製造などですな」

鉄斎は伴蔵の猪口に酒を注《つ》ぐ。かなりいける口のようだ。

「なるほど。それは重要なお役目ですな」

「ところがそうでもありません。我々江戸詰めの者には何もできませんからな。せいぜい他藩の特産物の評判を集めるくらいのものです」

福原伴蔵はひと呼吸おいてから――。

「ところで、島田殿。拙者にどのような用件がおありですか。さきほど鯉がかかったときに何かを言いかけたようでしたが」

鉄斎は小さく頷《うなず》いた。

「福原殿の奥方は、武家妻女の鑑《かがみ》のようなお方ですな」

「その言葉は素直に受け取ってよろしいのでしょうかな」

「もちろんです。ただし貴殿と龍之介さんと同じ方向を向いていればの話ですが」

伴蔵は首筋に手をあてて摩《さす》る。

「それを言われると痛いですな。卯乃が島田殿の道場に乗り込み、何を申したかを想像するだけで冷汗が出てきます」

「私が気になるのは、ご子息のことです。剣術の稽古をしていても、心が入っていないことは明らかです。ただそれは怠《なま》け者、逃げ腰といった類《たぐい》のものとは違うと推察します。ご子息には、何か……、将来の夢、希望といったものがあるのではないでしょうか」

猪口をゆっくりと置いた伴蔵は、腕組みをする。

「龍之介は母親に似ればよかったのです。それが運悪く、拙者の血を引いてしまいまして。物心がついたころから、絵を描くのが好きでしてね。絵師になるのが夢でした。島田殿、私はですが、世の中は己《おのれ》の思い通りにはなりません。生まれてしまったのが、小さな藩の小身の家です。しかも嫡男ともなれば、家を継《つ》ぐしか選択の道はないのです。今でも思いますよ。絵師になっていたら、どんな人生になっていたのかってね……」

「絵師とは限りませんが、もしご子息があなたと同じような境遇にあったとしたら、どうしますか」

伴蔵は伏し目がちに瞳を開いた。

「そりゃ、好きな道に進ませてやりたい。それが親心ってもんでしょう。しかし浪々の身となれば食べていくことができません。まあ、今の生活とたいして変わらないでしょうがね。武士株を農民に売り、いくらかの農地を譲り受けたところで、名主の許しを得ることができるかわかりません。役儀取り上げにならない程度に働き、武士として食いつなぐしかないのです。どうせ出世など叶うわけがありませんからね」

鉄斎には伴蔵の身体《からだ》が少し小さくなったように思えた。

「思えば、卯乃も不運な女です。実父が失脚し、拙者のところに嫁がされ、悶々《もんもん》と暮らしているところに龍之介が生まれました。過ぎた望みを持つのも致し方ありません。それを押しつけられる龍之介はもっと不運ですがね。もうやめましょう、こんな話は。せっかくの酒がまずくなる。そうだ、島田殿。寄席に行きませんか」

鉄斎は、卯乃が「寄席場という愚かしい場所」と嘆いていたのを思い出した。

「私は寄席場なる場所に行ったことはありませんが……」

「ならば、なおさらお連れしたい。島田殿は落語《らくご》を聴いたことがありますか」

伴蔵の目が輝きだした。男が道楽に夢中になるときの顔だ。

「聴いたことはありませんが、何やら滑稽《こっけい》な噺をして、聴いている者を笑わせるとか」

「そうです。少し前までは『落し噺』などといわれていましたが、この節は『落語』と呼ばれるようになりました。演じられる場所も『寄席場』から『寄席』と変わりましてね。江戸では最初、神田《かんだ》に寄席ができたんですが、これが人気を呼んで、浅草や両国にも寄席が建てられたのです。卯乃は、卑俗《ひぞく》などと毛嫌いしますが、滑稽な噺ばかりではありません。しんみりと泣かせる噺だってあるんです。これからお連れいたしましょう。両国に寿亭《ことぶきてい》という寄席があります。それから、ひとつお願いがあります」

「なんでしょう」

「二度も言うのは気が引けますが、拙者、金子の持ち合わせがなく、寄席の木戸銭《きどせん》を払っていただけるとありがたい」

鉄斎は苦笑しながら立ち上がった。

この後、寿亭の客席に入った鉄斎を驚かせることがあった。寄席の最前列で食い入るようにして落語を聴いている少年がいる。それは福原龍之介だった。

翌朝早く、亀沢町にある、おけら長屋の井戸端《いどばた》までやってきたのは、卯乃と龍之介母子である。武家の妻女がおけら長屋を訪ねてくるなど、滅多にないので、井戸端で洗濯をしていた二人の女は驚きを隠せない。手の動きを止め、武家の母子を見ているだけだ。

「島田鉄斎殿は、こちらにお住まいでございますか」

女の一人が前掛けで手を拭きながら立ち上がる。

「お住まいってほどのところじゃありませんけどね。お奈《な》っちゃん、島田の旦那はいるのかい」

「出掛けてますけど、直《じき》に戻ると思います」

「どうしてそんなことがわかるのさ」

「そこに干してあるのは、島田の旦那の褌《ふんどし》でね。あたしが洗ってあげたんだけど、乾くころには帰ってくるって言ってましたから」

「えっ、それ、島田の旦那の褌だったのかい。亭主のだと思って、さっき顔を拭いちまったよ。あら、やだ」

「あたしは八五郎さんの褌で顔を拭くくらいなら、まだ島田の旦那の方がマシですけどね」

「ちょっと、お奈っちゃん、ウチの亭主にケチつけようってのかい」

自分たちを無視して喋り続ける女二人に咳払《せきばら》いをする卯乃。

「あの、それで、島田殿は……」

二人の女は我に返る。

「あっ、そうでしたね。もうすぐ帰ってきますから、旦那の家で待っててくださいな」

卯乃は少し困惑した表情を浮かべる。

「島田殿は一人暮らしとお聞きいたしましたが、断りなしに、その、家に入ってよろしいのでしょうか」

今度は女二人が困惑した表情を浮かべる。

「よろしいのでしょうかって、鍵もなけりゃ、盗《と》られるもんもないし、だれがどこに入ろうがお構いなしですから。それが長屋の暮らしってもんなんでね。あたしは、この長屋に住む八五郎の女房でお里《さと》、こっちが喜四郎《きしろう》の女房でお奈津《なつ》。ところで、そちらさんは……」

卯乃は女たちの軽々しい態度が、気に入らなかったようで――。

「名乗るほどの者ではございません。それでは島田殿のご自宅にて待たせていただくことにいたします。ご案内を願います」

卯乃と龍之介が家に入ると、長屋の住人たちが、鉄斎の家の前に集まりだした。

「なんでえ、なんでえ。鉄斎の旦那のとこに足抜けした女郎《じょろう》と、その駆け落ち相手が逃げ込んできたって」

口火《くちび》を切ったのは万造だ。

「だれがそんなことを言ったんだい」

「いや、その、そうだったらおもしれえのにと思ってよ」

「武家のご妻女と、その倅《せがれ》さんだと思うよ」

「なんでそんな二人が鉄斎の旦那を訪ねてくるんでえ」

「こっちが知りたいよ」

そこに駆け込んできたのは松吉だ。

「どうした、どうした。鉄斎の旦那のとこに牢破りをした女兇賊《おんなきょうぞく》と、手下《てした》の小僧が逃げ込んできたって」

「馬鹿《ばか》が一人ふえたよ。だれがそんなことを言ったんだい」

「いや、その、そうだったらおもしれえのにと思ってよ」

すべての会話は、中にいる二人に筒抜けだ。長屋の連中に、それを気遣《きづか》う繊細《せんさい》さはない。お里は自信あり気に切り出した。

「あたしはこう見たね。ありゃ島田の旦那の奥方だった女だね」

「奥方ってえと……」

「馬鹿だね、女房だった女ってことだよ」

「すると、その倅ってえのは……」

「島田の旦那の子供ってことだろ」

お奈津は大きく頷く。

「そういやあ、あの子、どことなく島田の旦那に似てましたよね。特に目のあたりが……」

「そうだろ。島田の旦那は、訳《わけ》ありだよ。この長屋に来るまでは、北の方の藩で剣術指南役をしてたってことぐらいしか知らないだろ。そのころに女房や子供の一人くらいいたっておかしかないだろ」

こうなると、もう流れは変えられない。万造が尋ねる。

「その女房と倅が、なんだっていきなり訪ねてきたんでえ」

「みんな、こっちに集まっとくれ。大きな声じゃ言えない話なんだからさ」

なのに、お里の声は小さくなるどころが、逆に大きくなっている。

「お奈っちゃんも見ただろ。あれは相当キツイ女だよ。洒落《しゃれ》も通じないし、笑うこともしない。言ってみりゃ鬼嫁《おによめ》ってやつさ。我慢できなくなった島田の旦那は逃げ出したんだよ」

一同は大きく頷く。

「なるほどなあ。島田の旦那は、酒を呑む小遣銭《こづかいせん》ももらえなかったにちげえねえ」

万造の言葉に、お咲《さき》が反応する。

「それどころか、酒なんざ一度も呑ましてもらえなかったんじゃないのかい」

松吉は目頭《めがしら》をおさえる。

「そりゃ、あんまりじゃねえか。鉄斎の旦那がかわいそすぎら。それで、その鬼嫁に居所がバレちまったってことか……。つくづく運のねえ人だなあ、鉄斎の旦那も」

お咲は、お里に詰め寄る。

「どうして島田の旦那が、この長屋に住んでるって言っちまったんだよ」

「仕方ないだろ。はじめからわかってりゃ、言いやしないよ」

万造が二人の間に割って入る。

「内輪揉《うちわも》めしてる場合じゃねえ。鉄斎の旦那の身になってみろい。鬼嫁から命からがら逃げ出して、諸国を放浪すること十余年。やっと見つけた安住の地、おけら長屋で暮らすこと三年と幾月。ああ、それなのに、それなのに、ついに見つかってしまう島田鉄斎なのでありました。この続きは、また明日」

松吉が万造の後頭部をはたく。

「てめえは講釈師《こうしやくし》か。それよりどうする。いっそのこと、島田鉄斎は、昨年、流行《は》り病《やまい》で死にましたってことにするか」

「だって、さっきお里さんが、もうすぐ帰ってくるって言っちまいましたよ」

手をひとつポンと打つ万造。

「それじゃ、こうしよう。あのお里さんは、少しお頭《つむ》が弱い女でして、もうすぐ帰ってくるってえのは、新盆《にいぼん》のことでございます。どうでえ、名案だろ」

お里の目は吊《つ》り上がる。

「ちょいとお待ちよ。あたしのお頭が弱いってどういうことだい」

「だから、そういうことにすればって話じゃねえか」

「冗談じゃないよ。やめとくれ」

井戸の方からだれかが歩いてくる。島田鉄斎だ。

「おい、けえってきちまったじゃねえか。ど、どうするんでえ。お里さん、頼まあ」

「いやだよ。お咲さん、頼むよ」

当たり前だが、鉄斎はお構いなしに近づいてくる。

「どうかしたのかな。私の家の前に集まって」

最終的に押し出されたのは松吉だ。

「そ、それが旦那……」

鉄斎は、きょとんとした顔をする。

「に、逃げてくだせえ。後のことはおけら長屋のみんなでなんとかしますから」

「逃げるってどこへだ」

「どこへなりと。放浪の旅はつれえでしょうが、あの鬼嫁と暮らすことを考えりゃ、旅もまた楽しくなるってもんです。これはすくねえが、あっしからの餞別《せんべつ》でございます」

松吉は懐《ふところ》の中から十文《もん》を取り出した。

「馬鹿野郎、それじゃ二八蕎麦《にはちそば》も食えねえだろ」

万造が怒鳴《どな》ると同時に、鉄斎の家の引き戸が勢いよく開く。

「島田殿、お帰りをお待ちしておりました」

「で、でた」

たじろぐおけら長屋の住人たち。

「旦那、早く逃げてくだせえ。さあ、早く」

「また地獄の生活に戻りてえんですか」

一同に背中を押される鉄斎が振り向きながら――。

「ちょっと待ってくれ。話がわからん」

「島田殿」

卯乃のひと声が、この場を制した。

「この者たちは、私たちが島田殿の妻子だと思っているのです。島田殿が鬼のような私から逃げ、そして鬼の私に居所を突き止められたことになっております」

しばしの静寂が続き、万造が鉄斎に――。

「ち、違うんですかい」

「この方たちは、誠剣塾に入門した黒石藩藩士福原伴蔵殿の嫡男、龍之介さんと、その母上殿だ」

おけら長屋の一同は、蜘蛛《くも》の子を散らすように消え去った。

島田鉄斎は、四畳半の座敷で卯乃と対座した。相変わらず龍之介は卯乃の背中に隠れるようにしている。畳《たたみ》職人、喜四郎の女房お奈津が、お茶を届けると逃げるように出ていった。

「私に何か話でもありますかな」

「はい」

卯乃は歯切れのよい返事をした。

「島田殿に、龍之介の剣術稽古をお頼みいたしました。龍之介に聞いたところ、稽古らしい稽古はほとんどつけていただいていないとのこと。私は剣術の素人《しろうと》でございます。細かいことに口をはさむのは失礼かと思いますが、その理由《わけ》をお聞かせ願いたいのです」

鉄斎は、ゆっくりと茶を啜《すす》った。

「なるほど……。それではお答えいたしましょう。剣術の稽古をする意味がないからです」

卯乃は思いがけない言葉に呆然《ぼうぜん》とする。

「意味がない……。意味がないとおっしゃいましたか」

鉄斎は平然としている。

「いかにも」

「それは、つまり、龍之介には剣術の才能がないと申されるのでしょうか」

「そうは言っておりません」

「ならば、どうして……」

「心がないからです」

「心がない……」

「はい。剣には心が表れます。といっても龍之介の場合は、竹刀《しない》や木刀ですが。剣にはその人の心が映しだされるのです。勝ちたいという願望。恐怖や怯《おび》え、見栄《みえ》やごまかし……。それらの邪念を消し去り無心になることが、剣の修業といっても過言ではない。しかし、龍之介に心がないと申したのは、この無心とは違います。心ここにあらず、ですな」

龍之介は背中を丸くした。

「龍之介、島田殿が申されたことはまことなのですか。情けない。武士道を何と心得ますか」

鉄斎は、手を出して卯乃の勢いを遮《さえぎ》った。

「龍之介、母上殿の隣に座りなさい。卯乃殿、あなたは龍之介とじっくり話をされたことがおありですか」

卯乃は口籠《くちご》もった。

「武士として立身出世をするための話ではありません。一人の母親として、龍之介が何に興味を持ち、何に憧《あこが》れ、何に心を動かされているのか、ご存知ですか」

卯乃は痛いところを突かれて悔しかったのか、挑戦的な目つきになった。

「今、龍之介は大切な時期なのです。武家の嫡男として身につけなければならぬことが山のようにあります。まして福原家は三十石の家柄。文武に励《はげ》まなければ出世は望めません。島田殿は、私が龍之介に考えを押しつけていると申されるかもしれませんが、私は龍之介の将来を思い、厳しいことを申しているのです」

鉄斎は龍之介に視線を移した。

「龍之介、何かやりたいことがあるのではないか。私はそう推察した。よい機会ではないか。母上に己の思いを話してみたらどうだ」

龍之介は俯《うつむ》いたままだ。

「卯乃殿、龍之介が何を言い出すか怖いのですかな」

「そんなことはありません。言いたいことがあるなら男らしく申してみなさい」

鉄斎と卯乃は、龍之介の言葉を待った。何も言わぬのなら、それまでのことだ。

龍之介は俯いたまま、か細い声で――。

「私、噺家《はなしか》になりたいのです」

卯乃は目を見開いた。

「龍之介、今、何と言いましたか」

龍之介は顔を上げると毅然《きぜん》と言った。

「噺家になりたいのです」

卯乃は慌てふためく。

「は、噺家とは、寄席場に出る芸人のことですか。何を馬鹿なことを。あんなものは、まともな仕事ではありません。そなたは武家の嫡男です。自らの立場を考えなさい。気でも違いましたか」

「私は正気です。母上は落語を聴いたことがおありですか。落語は……」

「お黙りなさい。医術を学びたい、学者になりたいなどと申すならいざ知らず、噺家などという愚かしいものになりたいとは笑止千万《しょうしせんばん》。龍之介、そなたは、黒石藩普請奉行を仰《おお》せつかった名門、吉田家の血を引く武士なのです。武士は主君に忠誠を尽くし、お家を守ることが本分。そなたが噺家になったら福原家はどうなるのです。私は、あのように不甲斐《ふがい》ない主《あるじ》には、とうに見切りをつけております。そなたがしっかりしなくてどうするのです。笑い者になるのは、父だけで充分です。そなたには福原家を大きくする務めがあるのですよ。よいですね。今、申したことは聞かなかったことにしましょう」

龍之介は、正座をしたまま卯乃の方を向くと、畳に手をついた。

「母上のおっしゃることはわかります。ですから私も苦しんでいるのです。母上は落語をご存知ないので……」

「そのような話は聞きたくありません」

鉄斎は手にしていた茶碗を置いた。

「先程も言いましたが、一人の母親として龍之介の話を聞いてあげてはいかがですかな。武家の妻女として信念を持つのは立派なことです。しかし妻として、母として、ご主人やご子息を知ることも大切だと思いませんか。あなたはご主人のこと、確か伴蔵殿と申されましたな。伴蔵殿のことを見下《みくだ》されているようですが、伴蔵殿のことをどこまでご存知ですか。龍之介の心の中を覗《のぞ》いたことはおありですか。母として龍之介の話を聞いてみる価値はあると思いますぞ」

卯乃は唇《くちびる》を嚙《か》み締めた。鉄斎は龍之介の目を見て促《うなが》した。

「一年ほど前、父に連れられて浅草にある橘亭《たちばなてい》という寄席に行きました……」

「やはり、きっかけを作ったのはあの人でしたか」

「話は最後まで聞きましょう」

鉄斎の言葉に、卯乃は顔をしかめる。

「はじめは、『一分線香即席噺《いちぶせんこうそくせきばなし》』と呼ばれる短い落し噺などが続きます。洒落や頓《とん》知《ち》の利《き》いた噺に客席は笑いに包まれます。私も笑いました。それだけでも充分に楽しめたのですが……。最後に登場した、花遊亭和楽《かゆうていわらく》という噺家の落語を聴いて驚きました。笑わすだけではないのです。親子の情を主題にした噺でしたが、知らぬ間に涙が頰を伝います。そのとき、私は客席に座る人たちの顔を見たのです。涙を流し、手を叩《たた》いて大笑いし、花遊亭和楽の噺に引き込まれています。これが落語という芸なのでしょう。客席にいるのは、商人や職人といった江戸の庶民です。落語は、そのような決して裕福ではない人々の心の支えになっているのです。私は心から感動しました。父はそんな私の気持ちを察してか、寄席の木戸銭をくれるようになりました。おそらく、ささやかな楽しみである酒代だったと思います。『気にするな龍之介。落語はな、学問などより為《ため》になるぞ。何の勉強かわかるか。人生の勉強だ』。父の言葉には重みがありました。私は、花遊亭和楽が高座《こうざ》に上がる寄席に通うようになりました。そして噺家になりたいと思うようになったのです」

「浅はかな。あまりの情けなさに涙が出てきます。あの人ときたら、父親としての自覚がまったくありません。落語などという作り話で泣くなど愚か者たちの集まりです」

龍之介は一歩も引かなかった。

「確かに落語は作り話です。できすぎた話もあります。現実にはあり得ない話もあります。でもそれは世知辛《せちがら》い世の中で生きる庶民たちの夢なのです。せめて落語の世界くらい、そんな笑えて泣ける出来事があったっていいではありませんか……。落語は江戸庶民に夢や安らぎを与える立派な芸道だと思います。断じて恥じるようなものではありません」

龍之介の強い口調に、卯乃は気圧《けお》されたようだ。今まで母に逆らったことなどなかったのだろう。それに龍之介の言葉には、勢いや親への不満とは違う、強い一念が感じられた。鉄斎は鼻の頭を掻《か》いた。

「龍之介の考えはわかった。それで、これからどうするつもりなのだ」

龍之介は鉄斎の方を向いた。

「はい。まずは父と母の許しを得なければなりません。何年かかっても説得してみせる覚悟です。その上で、花遊亭和楽師匠《ししょう》の門を叩き、弟子《でし》にしていただく所存です」

卯乃は手の平《ひら》で畳を叩いた。

「許しません。絶対に許しません。どうしてもと言うなら親子の縁を切ります」

引き戸が勢いよく開く。最初に入ってきたのは万造だ。

「ようよう、おっかさんよう。なりてえってんだから、ならしてやりゃいいじゃねえか」

突然の珍客にも、卯乃は怯《ひる》まない。

「なんですか、あなたは。おっかさんとは無礼な」

「おとっつぁんと呼ばれるよりはマシだろ」

次に入ってきたのは松吉だ。

「なにも盗人《ぬすっと》になりてえってんじゃねえんだろ。噺家なら御《おん》の字《じ》じゃねえか。海苔《のり》屋《や》のババアみてえに、歯がぜんぶ抜け落ちちまって『歯なしか』ってえんなら洒落にならねえけどよ」

卯乃は怒り心頭《しんとう》に発した。

「あなた方は、他人の話を盗み聞きしていたのですか。はしたない」

「あんただって、さっきおれたちの話を盗み聞きしてたじゃねえか」

「あんな大声で話せば、聞きたくなくても耳に入ります」

その次に入ってきたのはお里だ。

「武家だ、お家だって、そんなに偉いのかい……。それじゃ言わせてもらうけどね……」

「お、おい、お里さん、どうしたんでえ」

「何て言うか忘れちまった」

土間《どま》に引っ繰り返る万松の二人。卯乃は立ち上がる。

「龍之介、もうそなたと私は、母でもなければ子でもありません。勝手になさい。

「島田殿、失礼をいたしました」

卯乃は土間で倒れている万造の足を踏みつけて出ていった。お里は申し訳なさそうに頭を下げる。

「島田の旦那、勘弁しておくれ。余計なことをしちまったね」

「いや、絶妙の頃合《ころあい》だった」

鉄斎は、また鼻の頭を掻いた。


「お里さんからだいたいの話は聞きました。その龍之介という少年を、島田さんのところで預かるそうですな」

おけら長屋の大家、徳兵衛はお茶を淹《い》れながら鉄斎に尋ねる。

「よろしいですかな。このまま帰したところで話がこじれるだけですから」

徳兵衛は笑いを嚙み殺した。

「何がおかしいのですか」

今度は、声を出して笑う徳兵衛。

「島田さんも似てきましたなあ……」

「だれにですか」

「だれにって、この長屋の連中にですよ。余計なことに首を突っ込み、しなくてもよいことをする」

「言われてみればその通りですなあ」

鉄斎は後頭部に手をあてた。

「ところで、そのご子息のことですが、何か考えがおありですか。武家の嫡男が噺家などになれるものでしょうか。それに十三歳といえば、まだ子供。噺家になりたいというのも、一時の気紛《きまぐ》れかもしれません」

鉄斎は熱い茶に顔をしかめた。

「龍之介は本気です。母親が出ていった後、万松たちにせがまれて、落語のとば口を披露したのですが、なかなか見事なものでした。陰でかなりの稽古をしているのでしょう。花遊亭和楽の落語を聴いて、速記本《そっきぼん》を認《したた》めているようです。すでにかなりの噺が頭に入っているとみました。少なくとも御細工所同心になるよりは、世の中の為になるでしょう」

「母親を納得させる方法はありますかな」

「ひとつだけあります。吉と出るか、凶と出るかはわかりませんが……」

「その方法とは」

「母親に龍之介の落語を聴かせることです」

黒石藩下屋敷内にある福原伴蔵宅は、夫婦喧嘩《げんか》の真っ最中だ。圧倒的に優勢なのは、妻の卯乃である。

「あなたが龍之介を甘やかしたのがおおもとです。武士の家に生まれれば、武士らしく育てるのが当然のことでございましょう」

卯乃の鼻息は荒い。

「だが、人には向き不向きというものがある。例えばお前だ。お前が戦国の世に男として生まれていれば、さぞ勇ましい武将になっていただろうな」

「このようなときにまで、そのような戯言《ざれごと》を。少しは真剣に考えなさいませ。これは福原家の一大事でございます」

伴蔵は呑気《のんき》に鼻毛を抜いている。その姿を見た卯乃の怒りは増す。

「とにかく、すべてはあなたの所為《せい》です。龍之介を連れ戻し、説得してください。さもなくば、私を離縁していただきます。小身に嫁ぐという屈辱なら耐えられますが、武家として産《う》んだ息子が芸人になるなど、名門吉田家の血を引く者として、生きていくことさえできませぬ」

伴蔵は大きく息を吐《は》き出した。

「龍之介の元服までには、まだときがある。それまでに結論を出せばよいではないか。そう焦《あせ》るな」

卯乃は正座をしたまま、少し伴蔵の前に近づいた。

「龍之介は利発《りはつ》な子です。学問においては他の藩士子弟に引けを取ることはありません。研明館にて優秀な成績を残せば、必ずやお殿様やご家老の目に留《と》まり、出世の道が開けるのです。龍之介はあなたとは違うのです。龍之介が元服した折には、早々に隠居《いんきょ》なさいまし。この福原家は龍之介に託します」

「御免」

入口から聞こえた大声に、卯乃の口は止まる。

「御免」

入口に出た卯乃は慌てて、その場に正座をして三つ指をつく。そこに立っていたのは黒石藩江戸家老《えどがろう》、工藤惣二郎《くどうそうじろう》であった。工藤惣二郎は、島田鉄斎と協力して、黒石藩お取り潰《つぶ》しの危機を救ったことから（詳しくは『本所おけら長屋（二）』その四「こくいん」参照）江戸家老に抜擢《ばってき》されていた。これも高宗の人材登用である。

江戸家老が、いきなり御細工所同心宅を訪ねてくるなどあり得ない。卯乃が考えられることはひとつ。伴蔵のお役御免である。自分が藩主であれば真っ先にお払い箱にする家来だ。

「福原伴蔵は在宅かな」

「はい」

卯乃は頭を下げたまま答える。あまりの緊張で言葉が出てこない。

「それは都合がよい。突然ですまぬが上がらせてもらう」

工藤惣二郎は腰から刀を抜くと、卯乃の了解も得ずに上がり込んできた。卯乃は工藤の草履《ぞうり》を揃《そろ》えると後を追った。

伴蔵は着物を腰まで捲《まく》り上げ、褌をさらし、まだ鼻毛を抜いている。

「なんだ、米屋か。ない袖《そで》は振れぬと言って謝るしかあるまい」

人の気配《けはい》に振り向くと、そこには江戸家老、工藤惣二郎が仁王立《におうだ》ちしている。慌てふためいて、指先についている鼻毛を払い、着物の裾《すそ》を直し、かしこまる伴蔵。

「その方ら二人に話があって参った」

卯乃は上座に座布団《ざぶとん》を置くと、もたもたしている伴蔵を引っ張るようにして、対面に控える。工藤惣二郎は、その薄い座布団にどかりと腰を下ろした。卯乃は両手を畳につけたまま――。

「工藤様に申し上げます。確かに福原伴蔵は役に立たぬ家臣かもしれません。お役目に身が入らず、藩にご迷惑ばかりおかけしております。先日も、お役目の最中に釣りをしているところを上役の樋口《ひぐち》様に見つかり、厳しく咎《とが》められたとか。今後はそのようなことがなきよう、骨身を惜しまずご奉公いたしますので、今回だけはお目溢《めこぼ》しのほどを……」

工藤惣二郎は手にしていた扇子《せんす》で自らの太股をパチリと打った。

「馬鹿者、釣りだと。お役目を放り出して釣りをしていたなど、まったく知らなかったわ」

卯乃は自らの失言に思わず口を押さえた。

「福原、釣りをして収獲はどうなった」

伴蔵は平身低頭《へいしんていとう》のまま――。

「樋口様より厳しいお叱《しか》りを受け、そのようなことではお役御免になると……」

工藤惣二郎は先程よりも強く扇子を打った。

「そのようなことは聞いておらんわ。収獲を尋ねておるのだ。何か釣れたのか」

伴蔵は顔を上げると、和《なご》やかになる。

「それが、まったく釣れませんでして。なにしろ餌をつけていないものですから……」

「馬鹿者――。お役目中に釣りをして何も釣れんとは何事だ。次は鯉を釣って、わしのところに持ってまいれ。鯉の血は精がつくというからのう」

「はっ。必ずや鯉を釣り、持参いたします」

卯乃は成り行きがわからなくなり、混乱してきた。このような場合は黙っているのが身のためだ。

「ところで、福原家には龍之介という嫡男がおるそうだが……」

卯乃は同じ失敗を繰り返さぬよう、次の言葉を待った。

「研明館では優秀な成績を修めているらしいのう。その龍之介は不在か」

まさか「家出をして、亀沢町にあるおけら長屋で居候《いそうろう》をしております」などと真実を語るわけにはいかない。

「ほ、本日は剣術の稽古に出ております」

「ほー、それは感心なことであるな。文武両道こそ武士の本分じゃ」

今度は間違いない。学業優秀な龍之介の評判が、江戸家老工藤惣二郎の耳に届いたのだ。

「龍之介は、必ずや黒石藩のお役に立てる藩士になれると信じております」

工藤惣二郎は、大きく頷いた。

「ところで、その龍之介だが、噺家になりたいと申して、家出をしているそうだな」

卯乃の顔は蒼白《そうはく》になった。

「ど、どこでそのようなことを……」

「どこでもよい。それはまことの話か」

思わぬ展開に卯乃はたじろいだ。

「龍之介はまだ子供でございます。噺家などというのは、一時の気の迷いでございます。学業に身を入れすぎたからか、たわいないことを申したまで。すぐ己の立場をわきまえるはずでございます」

「そんな話はどうでもよい。そのような利発な者の落語とやらを、ぜひ聴いてみたい。日時と場所は追って連絡いたす。龍之介が落語を語るときには、その方たち二人も必ず同席すること。よいな」

工藤は返事も聞かずに立ち上がると、そのまま出ていった。

龍之介は、おけら長屋の鉄斎宅に居候したままで、家には一度も帰っていない。裏の長屋に住む、井川香月《いがわこうげつ》というものずきな戯作者《げさくしゃ》に、花遊亭和楽を紹介してもらい、和楽の家に通っていた。正式に弟子入りしたわけではない。いってみれば付人《つきびと》だ。和楽の荷を持って寄席への供《とも》をし、着物を畳《たた》み、家では掃除をして茶を淹れる。島田鉄斎は言う。

「龍之介、剣術も落語も同じだ。師の供をするのは、またとない修業だ。和楽師匠は落語の名人として名高い。名人というものは、すべての所作《しょさ》振る舞いが理にかなっているのだ。落語だけではないのだぞ。歩くときの歩幅、箸《はし》の持ち方、蕎麦のたぐり方、和楽師匠の一挙一動《いっきょいちどう》から目を離すな。そのすべてが落語という芸に通じている。よいな」

鉄斎の話を聞く龍之介の瞳は輝いている。

和楽の家に通うようになって半月ほどが過ぎた。おけら長屋に戻った龍之介は、いつもと違う鉄斎の様子に気づいた。

「どうだ、龍之介。落語に対する思い、そして噺家になりたいという強い思いに変わりはないか」

龍之介は口元を引き締めて頷いた。

「和楽師匠の落語や、日常の一挙一動に触れさせていただき、改めて芸の深さに感銘を受けました。私の人生は落語という芸の真髄《しんずい》を追究するものと心に決めました」

鉄斎は龍之介から気負いのない思いを感じ取った。

「そうか……。だがな、龍之介。お前さんは歴《れっき》とした武家の嫡男だ。このまま藩の許しを得ないまま噺家になるなどはできん話だ。元服前の身としては親の許しも必要になろう」

龍之介は唇を噛んだ。あの母親を説得することなど、とてもできないだろう。

「黒石藩江戸家老・工藤惣二郎殿とはちょっとした知り合いでな、龍之介のことを話してみた。工藤殿は何と言われたと思うかな」

「私は、殿の御高恩を賜り、研明館において勉学をさせていただいている身です。このようなわがままが、許されるはずがありません。工藤様はご立腹されたかと思います」

鉄斎は少しばかり表情を緩《ゆる》めた。

「工藤殿はこう言った。『その龍之介とやらの落語を聴いてみたい』となな。工藤殿は、もし龍之介が落語を語ると申すなら、伴蔵殿と卯乃殿にも同席するように命じたそうだ。龍之介、工藤殿の意図していることがわかるか。龍之介に勝負する機会を与えたのだ。本当に噺家になりたいのなら、反対する者たちを落語で倒してみよ、とな。どうだ、受けて立つか、龍之介」

龍之介はしばらく目を瞑《つぶ》っていたが、その瞼《まぶた》をゆっくりと開いた。

「承知いたしましたと、工藤様にお伝えください」

北本所《きたほんじょ》表町《おもてまち》にある廻船問屋《かいせんどんや》東州屋《とうしゅうや》の大広間には武家、町人、男女を問わず、大勢の人たちが集まっている。龍之介の落語を聴こうとする人たちだ。十三歳の素人が落語を語るのに寄席というわけにはいかない。そこでおけら長屋の大家、徳兵衛が碁《ご》仲間の東州屋善次郎《ぜんじろう》に相談したところ、二つ返事で大広間を貸してくれることになったのだ。

寄席の中央に陣取るおけら長屋の住人たちは、差し詰め龍之介の応援団だ。万造の鼻息は荒い。

「いいか、みんなで盛り上げなきゃならねえぞ」

「盛り上げるって、どうすりゃいいんでえ。太鼓《たいこ》を叩くわけにもいかねえだろ」

八五郎の言葉に、女房のお里が呆れる。

「馬鹿だね、この人は。だからさ、ここが笑うところだなって思ったら、大声で笑えばいいのさ。万造さん、そういうことだろ」

「さすがお里さん、呑み込みがはええや、八五郎さん、佐平さん、頼みますぜ」

戯作者の井川香月は徳兵衛に尋ねる。

「いくら才能があるとはいっても、落語などそう簡単に語れるものではありません。小噺を二つ三つやって終わりでしょうな」

「さあ、私にはよくわかりません。なにせ落語を聴くのははじめてなもので。香月先生、落語とは、聴いている人を笑わせる芸なのですよね」

「そうとは限りません。花遊亭和楽の十八番《おはこ》は人情噺ですから。だが、これは実力がなければできません。人生経験のない十三歳の龍之介には無理です」

「なるほど……。龍之介さんがどんな噺をするのか楽しみですなあ」

「まあ、あまり期待はしないことにしましょう」

後ろの襖《ふすま》が開き、入ってきたのは、工藤惣二郎、福原伴蔵と卯乃。そして島田鉄斎である。卯乃はさすがに緊張しているようで、落ち着きがない。

計ったように、前の襖が開き、袴姿の龍之介が登場する。

大広間の前には、赤い毛氈《もうせん》を敷いた高座が作られている。龍之介は高座の上の座布団に正座をすると、ゆっくり頭を下げた。大きな拍手の中、「待ってました」「日本一」の声がかかり、席は和やかな雰囲気になる。顔を上げた龍之介は威風堂々《いふうどうどう》としている。とても十三歳の子どもとは思えぬ、ゆったりとした美しい自然体だ。

「いっぱいのお運びでございまして、お礼申し上げます。一席、落語でお付き合いをいただきます」

「あっはっはっは」

八五郎と佐平がいきなり大声で笑いだした。

「馬鹿だね。ここは笑うところじゃないだろ」

お里の一言に、客席から笑いが起きる。その笑いが治《おさ》まると、龍之介は、ゆっくりとした口調で噺に入った。

《上州《じょうしゅう》は高崎《たかさき》宿のはずれ、貧乏農家の三男に、耕吉《こうきち》という十二歳になる少年がおりまして……。この耕吉、生まれたときから身体が大きく、五歳になったころには、同い歳の子供と比べても頭ひとつ抜きん出ています。力も強く、七歳のときには米俵《こめだわら》を担《かつ》ぎ、八歳のときには片手で持ち上げ、九歳のときには小指の先で回したというから驚きです》

客席のあちこちから笑い声が洩《も》れる。鉄斎は安堵《あんど》した。

《十歳になると、村祭りの相撲《すもう》大会に出て、大人たちを投げとばして優勝してしまうほど。親の仕事もよく手伝う耕吉でしたが、父の治作《じさく》と母のお稲《いね》にとっては悩みの種でもありました。耕吉は呆れるほどの大飯食《おおめしぐ》らい。朝、昼、晩と丼飯《どんぶりめし》を十杯ずつ平《たい》らげ、夜食は丼五杯。ある夜、耕吉は、治作とお稲の話を聞いてしまいました。

「おっかあよ、今年も米は凶作だ」

「梅雨時《つゆどき》にも雨は少なかったし、夏は日照り続きだったからなあ」

「そんだら呑気なこと言ってる場合じゃねえ。米は不作でも年貢の取り立ては、そのまんまでねえか。オラたち百姓《ひゃくしょう》はこのままだと飢え死にだ」

「与作《よさく》さんのところは、お佳代《かよ》ちゃんを江戸に売るらしい」

「お佳代ちゃんといやあ、十三になったばかりだべ。まだ子供じゃねえべか。かわいそうになあ」

「仕方ねえ。そうでもしなきゃ、一家揃って飢え死にだからよ」

「まったくひでえ世の中だ」

「おっとうよ、うちだって他人事《ひとごと》じゃねえ。おらたちの飯を減らしても、なんとかして耕吉には飯を食わせてきたが、もう食わすものがねえ」

「隣の村じゃよ、働けなくなったもんや年寄りを山に捨てたり、口べらしのために子供を間引《まび》きしてるってこった。うちだってどうなるかわからねえだ」

「まさか、おっとう。耕吉を間引きするつもりじゃ……。腹を痛めて産んだ子を殺すなんて、オラにはとてもできねえ」

耕吉は、己がどれだけ親に迷惑をかけているかを、はじめて知りました》

広間で噺を聴いている者たちは、少しずつ龍之介の落語に引き込まれていた。静寂の中、龍之介の声だけが響いている。

《ついに耕吉の家には食べるものがなくなり、治作とお稲は、耕吉と妹のお照《てる》を殺し、自らも死ぬことにしたのです。耕吉はそれに気づいていました。

「腹が減る苦しさに比べれば、死ぬなんてどってことねえ」

耕吉は悟られぬよう両親に殺されることにしたのです。

その後、治作とお稲は眠っている耕吉とお照の顔を覗き込みます。

「よく眠ってらあ。おっかあ、覚悟はできてるな。しんぺえはいらねえ。オラたちもすぐ後を追うんだ。あの世で、またすぐに会える。親子四人で仲良く暮らすべ」

治作は縄で輪を作ると、それを耕吉の首にかけました。

「いいか、おっかあ。その縄の端を握れ。目を瞑《つむ》って二人で引っ張るんだ」

耕吉は心の中で叫びました。

（おっとう、おっかあ。辛《つら》い思いをさせて申し訳ねえ。さあ早く殺してくれ）

治作とお稲は縄を握って左右に分かれます。

「おっかあ。一《ひ》の二《ふ》の三《み》だぞ。いいか。一の二の……」

治作が縄を引っ張ろうとした、そのとき――。

「おっとう、やっぱりオラにはできねえ。できねえだ」

「今さら何言うだ。どっちみち飢え死にするんだ。おんなじことだべ」

「わかった。わかったよ、おっとう。だけんども、もう一日、もう一日だけ待ってくれ。明日の夜には必ずやるから……」

耕吉は死ねなかったことがつらかったのです。明日の夜まで空腹に堪《た》えなければならないからです。

ところが、翌日、信じられないことが起こったのです。村の庄屋さんが大きな男を連れて、治作の家にやってきました。

「治作さんよ、江戸から相撲の丸太川《まるたがわ》親方が耕吉の噂さ聞いて、この村まで来てくださったんじゃ」

目を丸くする治作とお稲。すぐに耕吉を呼びに行きます。耕吉の身体を見た丸太川親方は、まるで宝物を見つけたときのように喜びました。

「江戸で相撲取りになってみる気はないか。稽古は厳しいがな、力次第で出世ができる。好きなものが腹一杯食えるし、金だって稼げる。どうだ」

腹が減って死にたいと思っていた耕吉です。腹一杯食べられるのなら、どんな苦労だって怖くはありません。

「おっとう、オラ江戸に行くだ。必ずつええ相撲取りになって、おっとうと、おっかあに楽させてやるからな」

丸太川親方は治作に小判を三枚渡しました。これだけあれば、親子三人が来年の収穫まで生きていくことができます。

「おっかあ、ゆんべはよく止《とど》まってくれたなあ。オラは、とんでもねえことをしちまうところだった」

治作とお稲は、その金を握り締めながら、耕吉を見送ったのでした》

客席からは女連中の啜《すす》り泣く声が聞こえている。そんな中、卯乃は高座で語る龍之介を一心に見つめていた。

《江戸で相撲取りになった耕吉は、厳しい稽古に堪え、一度も弱音を吐きませんでした。耕吉は、着実に出世を重ね、幕内に入ると、丸太川耕右衛門《こうえもん》を名乗り、入門から八年後には大関《おおぜき》の地位まで上り詰めます。

そして翌年、上覧相撲において、純白の綱《つな》をつけ土俵《どひょう》入りを披露することになったのです。この栄誉ある土俵入りを一目見てもらいたいと、耕吉は高崎から、治作とお稲を江戸に呼びます。入門以来、両親《ふたおや》に会ったことは一度もありません。九年ぶりの親子の再会です。

将軍の御前《ごぜん》で披露された丸太川耕右衛門の土俵入りは、気品のある見事なものでした。立派になった息子を見て、治作とお稲は涙を流します。

「耕吉よ、よう頑張ったなあ。ここまで出世したのは、おまえが死にもの狂いで稽古をしたからだ」

「いや、それはちがう。わしが出世できたのは、あの日の、おっとうと、おっかあのおかげだ」

「そりゃ、どういうことだ」

「縄で絞《し》められなかったおかげで……、綱を締められた』》

龍之介が、両手をついて頭を下げると、満座から拍手が起こった。

「いい噺だったじゃねえか。落語っていやあ、おもしれえ噺かと思ってたのによ。相撲だけに、こういうのを肩透《かたす》かしっていうんだろ」

八五郎は、自分の洒落に満足したようだが、万造と松吉の反応は冷たい。

「八五郎さん、こんないい噺を聴いた後に、よくもまあ、そんなくだらねえことが言えますね」

「まったくだよ。これが亭主だと思うと余計に情けない」

お里が吐き捨てるように言うと、八五郎は背中を丸くした。

客たちが次々と引けていき、大広間に残ったのは、工藤惣二郎、島田鉄斎、福原伴蔵、卯乃の四人だけになった。

工藤惣二郎はゆっくりとした調子で切りだした。

「さてと、卯乃殿。噺家は卑《いや》しい業に見えたかな」

「私は龍之介の首を絞めようとしていたのかもしれません」

それはいつものような刺々《とげとげ》しい口調ではなかった。

「龍之介の進む道については福原家が決めること。親子三人でじっくり話し合うがよい。だが便宜は計ろう。卯乃殿、ご実家の吉田家には、部屋住みの次男がいると聞いている。その者を福原家の養子に迎え、福原家を継がせるのであれば、この工藤が万事うまく取り計ろう。何なりと申すがよい」

福原伴蔵は工藤惣二郎の前で手をついた。

「工藤様、黒石藩の家臣というだけで、縁もゆかりもない私たちに、どうしてそこまで……」

工藤惣二郎は苦虫《にがむし》を嚙みつぶしたような顔になる。

「わしとて、前途ある若者を失うのは辛い。だが、仕方ないのだ。ある男に多大な借りがあってな。さりとて返し切れるような借りでもないのだが……」

工藤惣二郎がふと横を見ると、そこにはもう島田鉄斎の姿はなかった。

本所おけら長屋（三）　その参

あいえん

本所《ほんじょ》おけら長屋に住む左官《さかん》職人、八五郎《はちごろう》の娘、お糸《いと》は二十歳《はたち》になる。母親のお里《さと》は、南森下町《みなみもりしたちょう》にある絹問屋《きぬどんや》、成戸屋《なるとや》に隔日で通い奉公しているため、自然な成り行きでお糸が家事を受け持つことになった。お里が休みの日には、お糸は同じおけら長屋で暮らす、後家女《ごけおんな》のお染《そめ》の家で裁縫を習う。習うなどというと聞こえはよいが、とどのつまりは、お喋《しゃべ》り、お茶、お菓子が中心となる。お糸にとって、お染は叔母《おば》のような存在だ。

江戸では、裁縫が達者なら食いっぱぐれはない。庶民が着ているのは、もっぱら古着。古くなった着物はすべて古着屋に持ち込まれる。「丈《たけ》が短くなった」「穴があいた」「連れ合いが死んだ」など理由は様々だ。このような着物を、何度も洗い張りして、仕立て直し、再利用していく。いよいよ再生不可能となれば、端切《はぎ》れ、下駄の鼻緒、はたき、紐《ひも》などに姿を変える。

お染の仕立て上がりは評判がよく、柳原土手《やなぎはらどて》に軒《のき》を並べる古着屋から仕事をもらうことも多い。

お糸は、緋縮緬《ひぢりめん》の腰巻《こしまき》の糸を解《と》いている。

「お糸ちゃん、それはね、吉原《よしわら》のお女郎《じょろう》さんが身につけていた腰巻だよ」

「どうして、そんなことがわかるんですか」

「だって緋縮緬だろ。私たちに買える品物じゃないからね。それにまだ新しいだろ。ああいうところの女は、見栄《みえ》を張るからね。少し色が褪《あ》せただけで古着屋に売っちまうのさ」

お糸は、そんな話を聞くのが大好きだ。親から聞けないような話は、長屋のだれかが教えてくれる。おけら長屋は人生を教えてくれる学校そのものだ。

「お糸ちゃんは、どうして裁縫を習う気になったの」

お糸は細い糸を解くのに苦心しながら――。

「うーん、特に理由《わけ》はないんだけど……。お嫁にいっても、手のあいたときに家でできる仕事でしょ。お店《たな》に奉公したら、そういうわけにはいかないし。それに細々《こまごま》した手仕事をするのが好きだから……。ふー。やっと解き終わった」

お染は、そんなお糸に優しい視線を投げかけている。

「毎日のように会ってるから気がつかなかったけど、こうして見ると、お糸ちゃんもすっかり大人の女だね。いくつになったんだっけ」

お糸は少し照れて、はにかんだ。

「二十歳」

「二十歳……」

お染は同じ言葉を繰り返した。

「へえー。それじゃ、いつお嫁にいってもおかしくないね。八五郎さんや、お里さんはなんにも言わないのかい」

「べつに……。ただ、おとっつぁんがね……」

お染は手を叩《たた》いた。

「わかった。万造《まんぞう》さんと、松吉《まつきち》さんだけは駄目だってんだろ」

「どうしてわかったの」

二人は大声を出して笑った。

「それは半分冗談だけど。おとっつぁんが言うのは……。亭主になる男は自分で見つけてこいって。どんな人でもいいから『この男は天晴《あっぱれ》だ』って思う男を見つけだせって……」

「へえー、八五郎さんらしいね。なかなかそんなことを娘に言えるもんじゃないからね」

お染は針を置いて、自分の肩を叩いた。

「でもね、お染さん。今の暮らしじゃ男の人と知り合うなんてないしなあ。このまお嫁にいけないかもしれないね。だから一人でも生きていけるように、お裁縫の腕を上げなきゃ」

お糸は、女として、お染に聞きたいことがたくさんあった。お染は後家とのことだが、どんな人が亭主だったのか。再婚するつもりはないのか……。お染には謎《なぞ》が多く、おけら長屋には、お染の過去には触れられない雰囲気が漂《ただよ》っている。察しのよいお糸は、その空気を読んでいた。実際に、お染には、おけら長屋の数人しか知らない暗く辛《つら》い過去があるのだが……（詳しくは『本所おけら長屋』その五「おかぼれ」参照）。

「お糸ちゃん、あたしはこう思うんだ。所帯《しよたい》を持つっていうのは、やっぱり縁だよ。だってこの広い世の中で、偶然に出会うんだからさ。この道を曲がらなかったら出会えなかった、忘れものを取りに帰ったから出会えたって人と所帯を持つことだってある。やっぱり縁だよ」

「縁かあ……」

「そう。だからありのままにしてりゃいいのさ。縁がある人とは必ず出会うことができる。だから焦《あせ》ることも、いじけることもない。神様に任せておくに限るよ。さあ、これが終わったら、お茶にしようか。大家《おおや》さんからもらったお饅頭《まんじゆう》があるから」

その言葉に、目を輝かせるお糸。甘いものに目がないのだ。

「あら、何かしらね……」

お染は、畳《たた》んで積み重ねてある女物の着物を上から軽く叩いた。

「どうしたんですか」

「何か、紙みたいなものが……」

お染が、一番上に載っていた着物を広げてみる。黄色い木綿《もめん》の生地に、赤い格子《こうし》模様の入った着物だ。袖《そで》に手を入れたお染は、細く折り畳まれた紙を取り出した。

「手紙かしらね……」

お染は、紙を開いていく。そして――。

「おりん　おれはかならず　おまえを　むかえにくる　だから　まっていてくれしょうすけ」

手紙の文字を読むと、お染は、それをお糸に差し出した。平仮名で書かれた文字の左下には、男女の似顔絵が描かれている。似顔絵の下には、それぞれ「庄助《しょうすけ》」「お鈴《りん》」と書かれていた。お糸はもう一度、その手紙を声に出して読んだ。

「おりん　おれはかならず　おまえを　むかえにくる　だから　まっていてくれしょうすけ」

お糸はしばらくその手紙を見つめていた。

「これは、庄助っていう男の人が、お鈴という女の人に宛《あ》てた手紙ですよね」

「そのようだね……。ちょうどお湯が沸《わ》いたようだ。お糸ちゃん、お茶を淹《い》れてくれるかい」

二人は渋いお茶と、甘い饅頭を楽しむ。

「やっぱり、伊勢屋《いせや》さんのお饅頭はおいしいねえ。薄皮《うすかわ》もいいけどさあ、やっぱり饅頭の皮は厚くなきゃだめだよ」

お糸は、どこか上《うわ》の空だ。

「気になるのかい、この手紙が」

お糸はコクリと頷《うなず》く。

「この手紙は、ちゃんとお鈴さんに届いたんでしょうか……」

「よしなよ、お糸ちゃん。こんな手紙だけじゃ、何もわかりゃしないよ。何年も昔の手紙かもしれないしさ」

お糸の耳には、お染の言葉など届いてはいないようだ。

「もしかしたら、お鈴さんが大切にしていた手紙かもしれない。それが何かの訳《わけ》で、この着物の中に紛《まぎ》れ込んだ。だとしたら、この手紙を、お鈴さんに返してあげなくちゃ。手紙が入ってたんだから、これはお鈴さんの着物ですよね。そうに違いない。お染さん、これは、どこの古着屋さんから預かった着物ですか。古着屋さんに聞けば、わかるかもしれませんよ」

お染は、お糸の茶碗に茶を淹れる。

「ちょっと、お糸ちゃん。お茶でも飲んで落ち着きなさい。世の中にはね、他人が首を突っ込まない方がいいこともあるんだよ」

「そうだけど……」

お糸は、ここで一度言葉を切って、お茶を口に含んだ。

「さっき、お染さんが縁の話をしたでしょ。あたしも、そうだと思う。だとしたら、この手紙がここにあるのも縁だと思う。神様が、あたしたちに見つけさせた手紙。そうに違いない」

お染は、縁の話などして後悔したが、そう返されると反論できない。それにお糸は多感な年頃だ。言葉を選ばなければならない。その言葉を選んでいるうちに、お糸に追い込まれる。

「ねえ、お染さん。どこから預かった着物ですか」

もう、はぐらかすのは無理だ。本当のことを答えるしかない。

「えーと、この風呂敷はね……、確か、柳原土手にある旭屋《あさひや》さんだね」

「旭屋さんなら、何度か着物を届けたことがあります。白い顎鬚《あごひげ》を生《は》やしたお爺《じい》さんの店でしょ。ねえ、お染さん。あたし、どうしても調べてみたいの。いいでしょう。お染さんには迷惑かけないから」

お染は優しい溜息《ためいき》をついた。

「しょうがないねえ。お糸ちゃんの気が済むようにすればいいよ」

「お染さん、ありがとう」

お糸は、手紙が入っていた着物を胸に抱きしめた。

そのまま柳原土手の旭屋に向かったお糸だが、手掛かりは何も得ることができなかった。

「ああ、この着物か……。これを持ってきたのは一見《いちげん》の客じゃったな。女だったが、年格好は覚えておらんよ。別の客と値段で揉《も》めてる最中じゃったからな。五十文《もん》渡したら、その着物を置いて帰っていった」

お糸はがっかりしたが、なぜか闘志が湧《わ》いてきた。

「これは、旭屋さんが、お染さんに仕立て直しをお願いした着物ですよね。申し訳ありませんが、この着物を、あたしに六十文で売っていただけませんか」

着物も貴重な手掛かりの品だから手放すわけにはいかない。

「元値の五十文でいいよ。お染さんの知り合いから儲《もう》けようなんて気はないから」

お糸は礼を言って五十文を支払い、着物を手に取った。

「あの、教えてほしいことがあるんですが……」

店に客はなく、旭屋の主人も手持ち無沙汰《ぶさた》のようだったので、少し気が楽になった。

「この着物を着るのは、若い女の人ですよね」

旭屋の主人は、お糸から着物を受け取り、膝《ひざ》の上で広げた。

「木綿で、黄色に赤の格子模様か……。町人の娘さんだろうね。歳《とし》のころなら十五から二十。嫁にいく前の娘さんだな。おお、ちょうど、あんたくらいじゃないか。なんだい、この着物の持ち主を捜してるのかい」

お糸は頷いた。

「そりゃ、無理な話だ。ここに集まってくる古着の出処《でどころ》は様々だ。自分で着ていたものとは限らん。箪笥《たんす》で十年以上も眠っていたものもあれば、人から譲《ゆず》り受けたものもあろう。湯屋《ゆや》で盗まれたものもあるくらいだからな。この着物が仕立てられたのが、いつかはわからないが、そう何度も袖を通した様子はない。だから、お染さんには掛襟《かけえり》の直しだけを頼んでおいたんじゃ」

よく考えてみれば、旭屋の主人の言う通りだ。

「もし、またその女の人が来たら、着物は本所亀沢町《かめざわちょう》のおけら長屋に住む、八五郎の娘、お糸が持っていると伝えてくれませんか」

「おけら長屋……、お染さんが住んでる長屋だね。わかった。もう一度、顔を見れば思い出すじゃろう」

お糸は、一縷《いちる》の望みを託して旭屋を後にした。

お糸の恋文の持ち主捜しは、早くもおけら長屋に広まっている。お染がそれとなく「手助けしてやってほしい」と触《ふ》れ回ったからだ。

最初に食いついてきたのは、相模屋《さがみや》の隠居《いんきょ》、与兵衛《よへえ》である。とにかく与兵衛は暇《ひま》だ。そして自分の知識をひけらかしたい。与兵衛は、お糸を前に座らせると、手紙を開き、しばらくの間、考え込んでいたが――。

「この似顔絵から判断すると、庄助というのは町人だな。髷《まげ》を見ればわかる。たぶん職人じゃろう」

与兵衛は自分の言葉に何度も頷く。

「この平仮名は達筆だ。これだけの字を書ける人物が、平仮名しか書けぬとは思えん。つまり、これは代筆じゃな。字が書けない庄助が、だれかに代筆を頼んだ。そうなると、この、お鈴という女も、平仮名くらいしか読めないということになる。まあ、学のない二人だな」

与兵衛は学問のない人間が嫌いだ。おけら長屋でいえば、万造、松吉、八五郎あたりが格好の的《まと》となる。

「この似顔絵があってよかった。この絵がなければ、庄助という父親が、お鈴という幼い娘に宛てた手紙と考えることもできる。父一人、娘一人の生活をしていたが、父が商家の都合、または行商とかで旅に出ることになり、娘を知人に預けることになった。そう考えれば、この手紙の内容は成り立つ。だがこの絵から、その物語は考えにくい。父娘《おやこ》には見えんからな……」

与兵衛は、大きな虫眼鏡《むしめがね》を取り出し、似顔絵を細《こま》かに視《み》る。そこまでする必要はないと、お糸は思うが、ここは従うしかない。

「これは素人《しろうと》が描いた絵ではないな。筆遣《ふでづか》いが軽やかじゃ。お糸ちゃん、浅草《あさくさ》の奥《おく》山《やま》や、縁日《えんにち》で似顔絵を商売にしている人を見たことはないかい」

お糸は、目を見開く。

「知っています。その場で似顔絵を描いてくれる人ですよね」

「そこで、この似顔絵を描いてもらったのではないかな。もちろん江戸とは限らん。だがあたってみる値打ちはあるじゃろ。この絵からすると、二人は若い。男は面長《おもなが》で、女はふっくらとした顔だ。商人は金銭のことを忘れない。それと同じで、絵師は顔のことを忘れない。これを描いた絵師を捜しだせば、何かわかるかもしれんな」

「ご隠居さん、ありがとうございます。さっそく、この絵を描いた人を捜してみます」

お糸は颯爽《さっそう》と立ち上がった。


陽《ひ》も暮れたころ、おけら長屋に住む、米屋の万造宅に集まっているのは、万造の他に、酒屋の松吉、左官の八五郎、たが屋の佐平《さへい》、畳《たたみ》職人の喜四郎《きしろう》だ。五人は車座になり、酒のやりとりをしている。八五郎は、みんなに酒を注《つ》ぎながら――。

「うちのお糸が人捜しをしているのは知ってるだろ」

「ええ。お染さんから聞きました」と万造。

「おれは久蔵《きゅうぞう》から聞きました」と松吉。

「あっしは、大家さんから」と喜四郎。

「おれは、ご隠居さんからだ」と佐平。

八五郎は「フッ」と馬鹿《ばか》にしたような笑い声を洩《も》らす。

「はええ話が、おけら長屋じゃ知れ渡ってるってことじゃねえか」

「そういうことになりますね」

万造は他人事《ひとごと》のように答える。八五郎は続ける。

「お糸は、おれのことを馬鹿にしてやがる。おれが手伝ってやると言ったら『おとっつぁんには無理』と、けんもほろろに断りやがった」

「そりゃ、お糸ちゃんじゃなくても、そう言うで……」

松吉は、自分の失言に口を押さえる。

「あの野郎、親を馬鹿にしやがって。だからよ、お糸より先に、その二人を見つけてえってわけよ」

「その気持ちは、わかりまさあ」

このような場合は同意しておく方が無難だ。喜四郎の言葉に、八五郎は大きく頷く。

「そこでだ。おめえたちも、その仲間に入れてやろうと思ってよ」

万松の二人はずっこける。

「なんですか、その言い方は。素直に手助けしてくれって言やいいものをよ」

「まったくでえ。ぜんぜん頼まれている気がしねえや」

佐平と喜四郎は笑いを堪《こら》える。万造はいかにも面倒臭《くさ》そうに——。

「ところで、手掛かりってえのは、お染さんとお糸ちゃんが見つけた手紙しかねえって聞きましたけど。それがねえんじゃ、こっちも動きようがねえや」

八五郎は、懐《ふところ》の中に手を入れる。

「そう言われると思ってよ、お糸の目を盗んで、その手紙を書き写してきた。これが、その手紙だ」

八五郎は、その紙を畳に広げた。四人の沈黙が続く。最初に言葉を発したのは喜四郎だ。

「こ、これは何ですか」

「だから、おれが書き写してきた手紙だ」

またしても沈黙が続く。万造は、その紙を縦から見たり、横から見たりしている。

「こいつはすげえ。こりゃ暗号《あんごう》ってやつですよ。ほら、伊賀者《いがもの》とかがよ、秘密を知られたくねえために、てめえたちにしかわからねえ文字を使って……」

　松吉は、何度も顔を上下に振る。

「なるほどねえ。はじめて見たぜ。でもよ、こんなミミズが這《は》ったような暗号じゃ、簡単に読みとることはできねえだろ。しかし、お染さんとお糸ちゃんも、とんでもねえもんを見つけちまったなあ……」

　喜四郎は、その紙を行灯《あんどん》に透《す》かして見る。

「もしかしたら、財宝の在《あ》り処《か》が書かれてるのかもしれねえな」

　ゆっくりと八五郎の目が吊《つ》り上がってくる。

「ふざけんじゃねえぞ、てめえら。暗号だの、ミミズだの、財宝だのと馬鹿にしやがって。おれはなあ、平仮名の手紙を書き写してきたんでえ。べらぼうめ」

　四人はもう一度、手紙を凝視する。

「平仮名……。それじゃ、この右上に書いてある、この字は……」

「『お』じゃねえか」

　八五郎は自信満々に答える。万造は、もう一度その文字を見てから――。

「こりゃどう見たって、模様か小紋《こもん》でしょ。逆立《さかだ》ちしても『お』には見えねえ。八五郎さん、おれも平仮名しか書けねえが、なんとか読める字は書きますぜ」

　一同が哀《あわ》れみの視線を送ったので、八五郎は、すっかりいじける。成り行きを察知した佐平が、作り笑いを浮かべて――。

「まあ、おれたち職人にゃ、必要ねえこった。無筆《むひつ》なのは腕がいい証拠だからよ」

「そうですよ」

喜四郎も追従《ついじゅう》したので、佐平はひと安心だ。

「八五郎はよ、無筆かもしれねえが、絵はうめえもんだ。この左下に描いてあるのは、カブト虫とコガネ虫だろ。たいしたもんだ。なかなかこれだけの絵は描けるもんじゃねえ」

八五郎は俯《うつむ》いたまま、小さな声で呟《つぶや》く。

「それは、庄助って男と、お鈴っていう女の似顔絵だ……」

慌《あわ》てる佐平。

「こ、これが男と女の……。この真ん中から上に出ているのは、カブト虫の角《つの》じゃねえのかよ」

八五郎の声は、さらに小さくなる。

「それは、男の髷《まげ》だ」

「これは、コガネ虫の足じゃねえのか」

八五郎の声はほとんど聞こえなくなる。

「それは、女の耳だ」

「おめえ、字だけかと思ったら、絵までヘボだったのか……」

佐平の追い討ちに、頭を抱える万造と松吉。八五郎はうなだれている。なんとかしなければならない。

「まあ、その、なんですよ。最初の『お』ってえ字がわかっただけでも御《おん》の字《じ》ですよ。ひとつひとつ確かめていきゃ、明日の朝までには、なんとかなるでしょう」

ついに八五郎は、畳に伏して泣きだした。

半刻《はんとき》（一時間）後、全文が解読された。

『おりん　おれはかならず　おまえを　むかえにくる　だから　まっていてくれしょうすけ』

万造が八五郎に尋ねる。

「お糸ちゃんは、どうしてるんで……」

「お糸のやつは、隠居の入れ知恵で、似顔絵を描いた絵師を捜すつもりらしい」

「絵師ねえ……」

松吉は腕を組んで目を瞑《つぶ》る。八五郎は松吉が喋りだすのを待った。何かを考えているのだろう。気の短い八五郎だが、じっと待った。そのうち万造が——。

「こいつ、寝てやがる」

八五郎が額《ひたい》を叩くと、松吉は飛び起きた。

「てめえ、紛《まぎ》らわしいことすんじゃねえ」

「すいません。昨夜はちょいと深酒しちまったもんで」

「おい、万造。おめえは、この手紙をどうみる」

万造は、いつにない真面目《まじめ》な表情をしている。

「おれは、決め打ちをするべきだと思う」

「決め打ちだと……」

「ああ。雲をつかむような話に振り回されても右往左往するだけだ。勘を働かせてよ、狭い範囲で勝負をかける。おれのかんげえを聞いてくれますか」

八五郎をはじめ、みんなが少し前に乗りだした。

「このお鈴ってえ女は、ナカの女だと思う」

「ナカってえと吉原《よしわら》か」

八五郎の返しに、万造は頷く。

「まあ、酒でも呑《の》みながら、ゆっくり話をしましょうや。松ちゃん、その水瓶《みずがめ》の脇に、佃煮《つくだに》と塩豆があらあ。それから、ここに八五郎さんからもらった酒もある。さあ、栓を抜いた、抜いた」

すでに呑んでいた五人だったが、本格的な酒盛りがはじまった。

「お鈴ってえ女は吉原か、岡場所《おかばしょ》にいる女郎ですね。それも格式のたけえ花魁《おいらん》じゃねえ。安手《やすで》の女郎だ。なぜそんなことがわかるのかってんでしょ。まず、この手紙にゃ、なめえの他は、場所や時分なんかが、まったく出てこねえ。なぜだかわかりますか。女郎ってえのは、年《ねん》が明けるまでは、てめえの身体《からだ》は、てめえのもんじゃねえ。足抜けでもされると思われちゃいけませんからね。だから書くことができねえんですよ」

万造の見立ては、外《はず》れることが圧倒的に多いが、説得力だけはある。

「それに、こんな平仮名しか書けねえ男が通う女だ。安手の女郎に決まってらあ」

説得力がある上に、すでに酔いが回りはじめている。思考力が低下している男たちの考えは、一方向に傾きかけている。

「なるほど。似顔絵を手紙に描くなんざ、粋《いき》な男のやることじゃねえ。女郎に入れ揚《あ》げちまった野暮《やぼ》な野郎だと考えりゃ合点《がてん》がいくわな」

万造は左手に塩豆を握り締めると、拳《こぶし》を口にあてて、吸い込むように食べる。

「この庄助って野郎は、渡りの職人ですね」

「渡りの職人……」

八五郎が首を捻《ひね》る。

「例えば、宮大工《みやだいく》だ。ああいう連中は全国を渡り歩く仕事です。腕がよけりゃ、あちこちから声がかかる。その宮大工の庄助が、寛永寺《かんえいじ》かなんかの普請《ふしん》で江戸にやってきた。知らねえ土地は寂しいもんだ。はじめのうちは酒でごまかせるかもしれねえ。だがそれが、半月も続けばよ……。松ちゃん、おめえならどうする」

松吉はニヤニヤしながらアゴを撫《な》でる。

「そりゃ、人肌が恋しくなってくるってやつよ。宮大工は手間賃《てまちん》もいいし、給金は日払いにもしてくれる。上野《うえの》から吉原なんざ、造作ねえ道程だ」

喜四郎が、手を前に出す。

「ちょっと待ってくれ。なんで寛永寺ってわかるんでえ。増上寺《ぞうじょうじ》だったらどうする」

「芝《しば》の増上寺だったら、品川《しながわ》に行きゃいいじゃねえですか。だが、本所に住むおれたちにとっては、吉原の方が捜しやすい。だから寛永寺と吉原にしちまった方が、都合がいいんですよ」

「そりゃ、万造の言う通りだ」

八五郎、佐平、松吉は同意する。

「なるほど、そういうことか……」

喜四郎も納得した。もう、この連中に道理などは通用しない。

「さあ、白粉《おしろい》の匂《にお》いに誘われて、吉原にやってきた宮大工の庄助。その賑《にぎ》やかさに驚いたね。夜だってえのに、真昼のような明るさだ。だが、どの店に上がったらいいのかわからねえ。京町《きょうまち》通りあたりをウロウロしていると、脇から声がかかる」

察しのいい松吉が、女の声色《こわいろ》で――。

「ちょいと、そこのお兄さん、あら、役者みたいにいい男じゃないか。ねえ、ちょいと寄っていきなよ～」

「いよっ。いよいよ、お鈴の登場か」

八五郎が大声をかけた。万造は続ける。

「格子越しに見ると、これがふっくらとして色っぺえ女だ。まあ、あんなところにいる女は、白粉《ぬ》を塗りたくってるから、たいげえは色っぽく見えるもんだけどよ。庄助はつい、フラフラッと、その店に上がっちまうのよ」

八五郎は、腕組みをして感慨深げだ。

「うーん。男ってえのは馬鹿な生き物だ。まるで、おれたちを見ているようじゃねえか。それから、どうなる」

万造は酒で舌《した》を湿らせた。

「お鈴は海千山千《うみせんやません》の女郎です。部屋に引っ張り込んじめえば、こっちのもの。庄助が日銭を稼ぐ腕のいい宮大工と知っちゃあ、黙っちゃいねえ。おまけに庄助は独《ひと》りもんときてらあ。お誂《あつら》え向きってやつですよ。ちょいと至れり尽くせりしてやりゃ、すぐに骨抜きでさあ。庄助は稼いだ日銭を手にして日参するって寸法で」

佐平は、空《うつ》ろな目をして尋ねる。だいぶ酔いが回っているようだ。

「つまり、庄助は、お鈴に騙《だま》されてるってことか」

「騙すも騙されねえも、やつらはそれが商売ですからね。最後にゃ『年《ねん》が明けたら、お前さんの女房にしてくれるかい』っていう飛び道具も持ってますから」

全員が黙って頷く。それぞれに思い当たる節《ふし》があるのだろう。

「さて、寛永寺の普請が終わった庄助は、善光寺《ぜんこうじ》修復のため、信州《しんしゅう》に行くことになった。庄助は、年が明けたら女房になると言ったお鈴の言葉を信じきっている。そこで、庄助は、上野か浅草あたりにいる似顔絵師に二人の顔を描いてもらい、ついでに手紙も書いてもらったのよ。お鈴の顔は、ふっくらとした顔とでも言って頼んだんだろうよ。なぜ、庄助は似顔絵を手紙に描いたんだと思いますか」

一同は無言で、万造の言葉を待つ。

「信州に行ってしまう、てめえの顔を忘れてほしくなかったからですよ。泣けてくるじゃねえか」

万造は、ここでもう一度、庄助の手紙を読んだ。

「おりん　おれはかならず　おまえを　むかえにくる　だから　まっていてくれしょうすけ」

八五郎、佐平、喜四郎の三人は、すでに涙ぐんでいる。

「ところが、お鈴にしてみりゃ、庄助の手紙なんざ、紙屑《かみくず》と同じでさあ。着物かなんかに紛れ込んだのを忘れて、古着屋に出しちまったってとこでしょう。もう、庄助のことなんか、すっかり忘れちまってますよ」

八五郎が畳を拳で叩いた。

「許せねえ。お鈴の野郎。男をナメやがって。おう、どうする。佐平、喜四郎」

「なんとしても、お糸ちゃんより先に、お鈴を捜し出して、とっちめてやりましょうや」

佐平の言葉に、喜四郎も続ける。

「おう、万造に松吉。おれたちゃどうすりゃいいんでえ」

「まずは、吉原に絞って、お鈴という女を捜しましょう。源氏名《げんじな》は、お鈴じゃねえかもしれねえから、注意してくださいよ」

「おお」

一同は気勢をあげて、茶碗の酒を呑み干した。

浅草寺《せんそうじ》の境内《けいだい》は、多くの参拝者でごった返している。裏手にある奥山には、見世《みせ》物小屋《ものごや》が軒《のき》を並べ、大道芸人が曲独楽《きよくごま》を披露し、ガマの油売りが軽やかに口上《こうじよう》を述べる。

お糸は、人波を搔《か》き分けるようにして、似顔絵師を捜す。しばらく歩くと、遠くの見世物小屋の脇に「似顔絵」の看板を見つけた。絵師は前を通る人に「似顔絵はいかがかな」と、声をかけているようだ。お糸は脇目も振らず、小走りに絵師を目指す。そのとき、身体中に衝撃が走る。お糸は地面に倒れ込んだ。

「どこ見て歩いてやがるんでえ。気をつけろい。で、大丈夫かい」

見上げると、若い職人風の男が肩を摩《さす》りながら立っている。この男とぶつかったのだろう。どう考えても、こっちの方が悪い。周りをぜんぜん見ていなかったのだから。

「申し訳ありません。よそ見をしてました」

「どこかに様子のいい男でもいたのかい。まさか、おれのことじゃねえわな。あはは。ほら、立ちな」

男は手を差し伸べた。若い男の手など握ったことがないお糸はためらったが、厚意を無にするのは失礼だ。お糸は男の手を握る。ゴツゴツした職人の手だ。懐かしい感触。小さいころ湯屋に行くときに、ぶら下がるようにして握り締めた八五郎の手だ。

お糸は手を引かれるのと同時に、足に体重をかける。

「痛い」

お糸は、その場に尻餅《しりもち》をついた。

「どうした。どこがいてえんでえ」

お糸は左の足首を摩った。

「足首を捻《ひね》ったようです」

男はしゃがみ込んで、お糸の足首を無造作につかむと、左右に動かした。

「い、痛い。何をするんですか」

「折れちゃいねえようだがな。これじゃ歩けねえだろ。おれの肩につかまんな……。おやっ、おめえさん、八五郎あにいんとこの、お糸ちゃんじゃねえか」

お糸は、その男の顔をはじめて正面から見た。

「も、もしかして、文七《ぶんしち》さん……」

左官職である八五郎の師匠《ししょう》は文蔵《ぶんぞう》という。文蔵親方は、弟子《でし》の為三郎《ためさぶろう》、八五郎のどちらかに自分の跡取りになってほしいと望んだが、歯車が狂い、二人の弟子は文蔵のもとを去った。文七は文蔵の甥《おい》っ子で、為三郎、八五郎の弟弟子にあたるが、八年ほど前に文蔵の養子となり跡を継ぐことになった。まだ若いが、職人使いも達者で、人望もある。八五郎も目を掛けている男だ。

「へえー、あのお糸ちゃんがねえ……。こんな娘さんになったのか」

お糸がまだ十五、六歳のころ、八五郎の仕事場が近いと、よく昼に弁当を持っていった。そこで文七とは何度か顔を合わせたことがある。文蔵親方の養子となり、親方になったと聞いたことはあったが、すっかり貫禄がついている。

「この足じゃ歩けねえだろ。いつまでもここに座り込んでいるわけにもいくめえ。とにかく、おれの肩につかまりな」

お糸は、なんとか片足で立ち上がった。

「どうしても、あの似顔絵師のところに行かなくちゃならないんです。あそこまで連れてってくれませんか」

文七は呆《あき》れる。

「似顔絵って、こんなときに、そんなものを描いてもらったって仕方ねえだろ。おれとぶつかったときに頭でも打ったのかい」

「そうじゃないんです。人を捜しているんです。だから、あの似顔絵師のところに行かなくちゃ……」

文七は大きく息を吐《は》きだす。

「ふー。何か曰《いわ》くがありそうだな。まだ昼前だ。似顔絵師は逃げやしねえよ。そこの茶店で団子でも食って、少しばかり休もうじゃねえか」

文七は、すぐ横にあった茶店の縁台にお糸を座らせた。

「話したくなければ何も話さなくていい。とりあえず、茶でも飲んで落ち着くことだ」

「隠すような話じゃないんですが。文七さん、笑わないで聞いてくれますか」

「それは約束できねえな。面白《おもしろ》けりゃ笑っちまうだろ。あはは。ほら、もう笑っちまってらあ」

お糸は、手紙のことを文七に話した。大方の話を聞き終えると、文七は自分の顎を撫でながら――。

「なるほどねえ……。あははは……」

お糸は頰《ほお》を膨《ふく》らます。

「ほら、やっぱり笑った」

「だってよ、似た者同士は自然と寄り集まるってえじゃねえか。お糸ちゃんも立派なおけら長屋の住人になったってこった。さすが八五郎あにいの娘、筋金入《すじがねい》りだ」

お糸は思う。文七の言う通りかもしれない。それは嬉《うれ》しくもあり、恐ろしくもある。お糸も笑いそうになった。

「でもね、どうしても、庄助さんとお鈴さんのことを捜したいの」

「わかるぜ。お糸ちゃんは、その二人がどうなったか知りてえんだよな」

お糸はコクリと頷いた。

「だがよ、その足じゃ無理だと思うぜ」

文七が指差した左の足首は、だいぶ腫《は》れあがってきた。

「とりあえず、その手紙をおれに預からしちゃもらえねえか。お糸ちゃんには、あの似顔絵師のところより先に、行かなくちゃならねえところがある。田原町《たわらまち》におれの知ってる、ほねつぎの先生がいらあ。早く手当てしてもらった方がいい」

文七は縁台に小銭を置くと、お糸の前にしゃがみ込む。

「ほら、どうした。早く負《お》ぶさんなよ」

「でも……」

「みっともねえのはわかるが、仕方あるめえ。田原町は目と鼻の先でえ。四の五の言わずに負ぶさんなよ。怪我《けが》をさせちまったのはおれだ。このままにしたら、後で八五郎あにいに、ぶん殴《なぐ》られらあ」

恥ずかしいが、歩けないのも事実。お糸は観念して、文七の背中に負ぶさった。

「文七さんは、どうして浅草に……」

「今度、大きな仕事をもらってよ。無事に事が進むように観音《かんのん》様に頼みに来たんだが、御利益《ごりやく》はねえな。お糸ちゃんに怪我させちまってよ」

「ごめんなさい。私が、そそっかしいから」

お糸は、はじめて触れる男の広い背中に胸がドキドキする。自分の胸と文七の背中は密着している。この動悸《どうき》を文七に知られやしないかと心配になる。お糸は、お染の言葉を思い出した。

《所帯を持つっていうのは、やっぱり縁だよ。だってこの広い世の中で、偶然に出会うんだからさ》

文七は独り者なのだろうか。もし文七におかみさんがいるのなら、胸をときめかせるだけ損だ。お糸は何を考えているのだと思い、顔を左右に振った。

「どうした。そんなにいてえのか。もうすぐ着くから辛抱《しんぼう》しなよ」

「大丈夫。それより、重いでしょ。文七さんの方こそ大丈夫ですか」

「ああ。おれたちは塗土《ぬりつち》を担《かつ》ぐからな。お糸ちゃんより、よっぽどおめえや」

ほねつぎでの見立ては、重度の捻挫《ねんざ》だった。薬草を煮詰めた軟膏《なんこう》を足首に擦《す》り込み、薄い板を添えて固定する。

「こりゃ、しばらくは歩けんな。今、うちの若い者が駕籠《かご》を呼びに行った。ここで待っていなさい。ところで、文七さん。この人は、お前さんのおかみさんかい。まずいぶん若い娘さんをもらったのう」

文七は頭《かぶり》を振る。

「とんでもねえ。この人は恩義ある人の娘さんで。あっしはまだ独りもんですから」

「文七さん、あんた今年でいくつになる」

「二十八で……」

「親方になったのなら、早く所帯を持った方がいい。それが信用ってもんだ」

ほねつぎの先生は、お糸を見て――。

「どうだい、あんた。おかみさんになってやっちゃ。おっと、これは余計なことだったかな。それじゃ、私は往診があるので失礼する」

残された二人の間には気まずい空気が流れた。文七はその雰囲気を断ち切るように——。

「ところで、お糸ちゃん。この手紙のことは、おれに任せちゃもらえねえか」

きょとんとするお糸。

「だって、その足じゃ、捜すなんてできねえだろ」

文七はそう言って微笑《ほほえ》んだ。

気勢をあげてから三日後の夜、五人組は松井町《まついちょう》の居酒屋に集まることになっていた。松吉以外の四人は、すでに来て呑んでいる。口数が少ないのは、お鈴に関する情報を得られなかったからだ。八五郎はチビリと酒を含んだ。

「しかしよ、ひれえ吉原から、お鈴って女を捜すなんざ、所詮《しょせん》は無理な話だ。骨折り損のなんとかってやつだぜ」

万造が八五郎に酒を注ぎながら尋ねる。

「八五郎さんは、どんな手立てで、お鈴って女を捜したんですかい」

八五郎は、自信満々の表情で答える。

「おれか。あの次の日の夜から、吉原を冷やかしに行ってよ。まず、向こうを向いている女を見つける。その女に後ろから『お鈴さん』って声をかけるんでえ。その女が振り向いたら、お鈴ってことになるじゃねえか」

万造は猪口《ちょこ》を持ったまま固まる。

「ほ、ほんとに、そんな馬鹿みてえなことをやってたんですかい」

「馬鹿みてえなとはなんでえ。これほど確かな方法はねえだろ。ふた晩で、九十八人に声をかけたが、だれも振り向かなかったけどよ」

佐平と喜四郎は、感心しきりだ。

「さすがは八五郎さんだ。そんな手があったとはなあ……」

万造は恐る恐る聞いてみる。

「あの……、佐平さんと喜四郎さんは、どんな手立てで……」

「おれたちはよ、吉原の遊郭《ゆうかく》に行って、ちゃんと聞いたぜ。この店に、お鈴っていう客を騙す性悪《しょうわる》な女郎はいませんかってよ」

万造は頭を抱える。

「あのねえ、店の者が『はいはい、客を騙す性悪なお鈴って女郎は、うちにおります』なんて言うわけねえでしょう。あんたたちを仲間に入れた、おれたちが馬鹿だった」

八五郎、佐平、喜四郎の三人は万造に鋭い視線をぶつける。

「じゃあ、万造。てめえはどんな手立てで捜したんでえ。言ってみやがれ」

「吉原に身を沈めるなんてえのは、人にゃ言えねえ事情があるからだ。だれだって、おいそれとは名乗り出ちゃこねえ……」

勿体《もったい》をつけて、ここで酒を口に運ぶ万造。

「吉原の裏を知り尽くしてるのは、遊郭に出入りしている、小間物《こまもの》屋、髪結《かみゆい》、着物関係の連中です。嫉妬《しっと》ぶけえ女の世界ですからね。いろんな噂《うわさ》を耳にするわけです。てめえのことは喋らねえが、人のことは喋りたがる。吉原ってえのは、そんな場所です。今、松吉が投げた網を引き上げに行ってまさあ。うまいこと魚がかかったかは、わかりませんけどね」

八五郎は腕を組んで唸《うな》る。

「うーん。こういうことに関しちゃ、さすがに抜かりはねえな。てえしたもんだ」

松吉が店に入ってきた。目線で店の女に酒と猪口を催促する。席に座るなり
――。

「見つかったぜ。吉原の仲町《なかまち》通りにある、富士元《ふじげん》っていう店だ。お鈴って女はそこにいる」

万造は「でかした」と言って手を打った。

「どこからの話だ」

「お文《もん》っていう髪結だ。富士元に出入りしていて、本人を知ってるってことだから間違いはねえ。本名がお鈴で、源氏名も同じだ。丸顔の色っぺえ女で、尻の毛まで抜かれた野郎も、かなりいるって噂だ」

松吉は、店の女から猪口を奪うように取ると、手酌《てじやく》で立て続けに、酒を三杯呑んだ。

「それから、吉原で他に、お鈴って女は聞いたことがねえそうだ」

「決まりだな。さて、これからどうする」

八五郎は、万造の顔に視線を送る。

「庄助って男の敵《かたき》を討《う》つには、お鈴って女の評判を地に落とせばいいんで。なあに、簡単ですよ。あちこちで『富士元のお鈴って女は性悪だ。騙されて首を括《くく》った男が五人もいる』なんぞと言い触らしゃ、吉原じゃ生きていけねえでしょう」

「そりゃいいや」

「手間もかからなきや、金もかからねえ」

佐平と喜四郎は大喜びだ。その流れに、松吉が待ったをかける。

「だが、もし人違いだったら、取り返しのつかねえことになる。その女が、本当に手紙のお鈴かどうか確かめなきゃならねえ」

八五郎が尋ねる。

「どうやって確かめるんでえ」

「だれかが客として富士元に上がり、お鈴に会って確かめるしかねえでしょう」

「だれかが、客としてお鈴に会うか……」

しばらくの間《ま》があって、五人が一斉に――。

「おれが行く」

全員が顔を見合わせたが、最初に口火《くちび》を切ったのは八五郎だ。

「この中で一番年上はおれだ。こういうときは年上を立てるもんでえ」

佐平が食ってかかる。

「年上って、おれとたかが二つ違いじゃねえか」

万造も参戦する。

「わけえもんに花を持たせるって言うでしょ。年寄りは引っ込んでやがれ」

「万造。てめえ、その口の利《き》き方はなんでえ。ただじゃ済まねえぞ」

「うるせえ。女郎買いに、年上も年下もあるけえ。すっこんでろ」

喜四郎が間に割って入る。

「やめましょうぜ。それなら、ちょうど真ん中の歳ってことで、あっしが行きますから。これで丸く収まるでしょう」

「収まるわけねえだろう。結局、てめえが行きたいだけじゃねえか」

「なんだと、この野郎」

八五郎、佐平、喜四郎、万造が立ち上がったところで、松吉が三度ほど手を叩いた。

「はい。そこまでだ。とりあえず座ってください。ほら、早く、座った、座った」

不満げに座った四人は松吉の言葉を待つ。

「こういうことは公平に決めましょうや。みなさん先走っているようですがね、富士元に行くには銭がかかるんですよ。若い者にちょいと祝儀《しゅうぎ》を切って、酒と料理を運ばせて、お鈴を呼ぶとなりゃ、一分銀《いちぶぎん》が一枚は必要になる。その銭は持ってるんでしょうね」

全員が無言になる。松吉が懐からサイコロを取り出して膳の上に置いた。

「こいつで決めようじゃねえか。とりあえず、みなさんに一朱《いっしゅ》銀を一枚ずつ出してもらいます。今は懐が寂しいでしょうから後でもいいです。勝ったもんが、みんなから一朱銀ずつもらって富士元に行けるって寸法です。一朱銀が四枚で、ちょうど一分銀になりますからね。どうです」

八五郎は生唾《なまつば》を飲み込んだ。

「おもしれえじゃねえか。どうやって決めるんでえ。チョボイチ（サイコロ賭博）か」

「そうです。賽《さい》の目は六まで。ここにいるのは五人です。ピンを除いた、二から六までをそれぞれが選びます。勝負は一回こっきり。当てりゃ銭をもらって富士元に行ける。ピンが出ちまったら、だれかが当たるまで繰り返します。恨《うら》みっこなしってことで、賽はお栄《えい》ちゃんに振ってもらいましょう。どうです。やりますか」

「やってやろうじゃねか」

「乗ったぜ」

「そいつぁおもしれえ」

元々が博打《ばくち》好きな連中なので話が早い。

「それじゃ、てめえの出目《でめ》は……、歳の順ってことで八五郎さんから」

八五郎は目を閉じて考え込む。

「よーし。おれは五だ」

「佐平さんは……」

「おれは、三にする」

「喜四郎さんは……」

「おれは、てめえの名前からとって、四にすらあ」

「万ちゃんは……」

「うーん、残ってんのは、二と六か……。六だ。絶対に六が出る。六だ」

「それじゃ、残りものには福があるってことで、あっしは二にさせてもらいますぜ。おーい、お栄ちゃん。ちょいと、丼《どんぶり》を持ってこっちに来てくれ」

店の女は、訳《わけ》もわからず、丼を持ってやってくる。

「すまねえけどよ、このサイコロを丼の中に落としちゃもらえねえか」

「なんで私が……」

「気にすることはねえ。何も考えずに、ただサイコロを振ればいいんだよ」

「そんなことくらい、お安《やす》い御用ですけど……」

サイコロを手にしたお栄だが、いつもと違う空気を感じ取った。なんだ、この殺気は。全員の鋭い視線が自分の手元に集中している。その圧力に押されたのか、手が震《ふる》えだした。

「なんだか怖い。だって、いつもと違うもの」

八五郎が低く落ち着いた声で――。

「たとえどんな目が出ようと、お栄ちゃんの身は守るからよ。だから安心してサイコロを丼に落としな」

その口調《くちょう》が余計に恐ろしい。

「何を賭《か》けてるんですか。ヤダなあ……」

「心配することはねえ。ただサイコロを振るときに、心の中で『五・五・五』と念じて振ってもらいてえ」

佐平が怒鳴《どな》る。

「八五郎、この期《ご》におよんで、汚ねえまねすんじゃねえ。お栄ちゃん、『三・三・三』って念じて振ってくれ」

「それじゃ、佐平さんも同じじゃねえですか。いいかげんにしてくださいよ」

喜四郎の剣幕も普通ではない。

「なんか、みんな変ですよ、万造さん」

「お栄ちゃん、脅《おど》かしてすまねえな。さあ、気にすることはねえから、サイコロを振ってくんな」

お栄は、丼を手前に引き寄せると、サイコロを丼の上にかざす。男たちの視線がサイコロに集中した。そのとき、奥の座敷から――。

「お栄ちゃん、熱い酒を二本《の》」

一斉に立ち上がる五人。

「うるせえ、この野郎。酒くらい、てめえたちで運べ」

「この酔っ払いが。水でも飲んでやがれ」

「二が出なかったら張り倒すぞ」

触らぬ神に祟《たた》りなしで、奥の座敷は静かになった。

「さあ、お栄ちゃん……」

お栄は再び、サイコロを丼の上にかざす。息を呑むとはこのことで、本当に呼吸をする音さえ聞こえない。サイコロが丼の中に落ち、音をたてて跳ね回る。男たちは拳を握り締めた。サイコロが丼の底で止まる。

「ピンだ」

　中腰になっていた男たちは、腰掛けに座り込む。

「ハアハア……。ちょっと待ってくれ。水だ。水をくれ」

「気付け薬はねえか。心の臓が止まりそうだぜ」

　しばし休憩の後、男たちは立ち上がる。

「よし、お栄ちゃん」

　お栄も気合が入ってきたようで、サイコロに息を吹きかけると、丼の前で斜《はす》に構える。だいぶ様《さま》になってきた。男たちの視線が集まる中、お栄の指を放れたサイコロは丼の中で円を描くように回り、底の真ん中に近づいて止まった。

「二だ。二が出やがった」

　松吉は卓の周囲を走り回る。残りの四人はガックリと腰を下ろした。

「それでは、みなさん。明日の朝、集金に伺《うかが》わせていただきますので、一朱銀を用意しておいてください。よろしくお願い申し上げます」

　八五郎は、目に涙を溜《た》めながら――。

「おう、松吉。何のために行くのかを忘れるんじゃねえぞ。わかってるな」

松吉はすでに「心ここに在らず」という、締《し》まりがない顔をしていた。

「合点承知《がってん》よ」

石原新町《いしはらしんまち》の普請場《ふしんば》で、八五郎と文七が顔を合わせたのは、お糸が怪我をしてから五日目のことだった。

「申し訳ねえ。八五郎あにいに詳しく話さなきゃならなかったが、ちょいと野暮用《やぼよう》がありまして……」

八五郎は自分の顔の前で手を振った。

「謝るのは、こっちの方じゃねえか。悪いのは、お糸だ。あんな尻のでけえ女を負ぶって、ほねつぎまで連れてってくれてよ。おまけに手当ての金まで払ってくれたんだってな。お里も感謝してたぜ」

「お糸ちゃんの足の具合はどうですか」

「まだ歩けねえようだが、直《じき》に治らあ。心配はいらねえそうだ」

「そいつぁ、よかった」

八五郎は、個人で仕事を請け負《う》う腕《お》のよい左官職人だ。弟弟子ではあるが、親方となった文七が大きな仕事を得たときは、八五郎に助けを請《こ》うことも多い。

「ところで、八五郎あにい……」

文七は一度、口籠《くちご》もってから――。

「着物に入っていた手紙の件で、お糸ちゃんが人を捜してることは知ってますか」

「ああ。って、どうして文七がそんなことを知ってるんでえ」

文七は照れ笑いを浮かべる。

「浅草の奥山で、お糸ちゃんとぶつかったとき、その話を聞いて安請け合いをしちまいましてね」

「おめえも物好きだなあ。あんな小娘の遊びに付き合うことはねえだろ」

「そのことで、八五郎あにいに、ちょいと話があるんで……」

八五郎は、なんとなく身構えた。

「手紙に書いてあった、庄助とお鈴って人の身元がわかりました」

「ふーん、そりゃよかったじゃねえか……。な、なんだと。吉原の、富士元の……」

「八五郎あにい、何を慌ててるんですかい」

八五郎は、落とした煙管《キセル》を拾った。

「べ、べつになんでもねえ。それで、どうしたんでえ」

「庄助って人は、若いが腕のいい宮大工だったそうで……」

八五郎は大きく頷く。

「寺や神社の普請があると全国を渡り歩いていたそうじゃねえか」

文七は驚いた。

「あにいも知ってたんですか」

「あたぼうよ。それくれえの調べは、とうについてらあ。それからどうした」

文七は、懐から手紙を取りだした。

「庄助さんと、お鈴さんは所帯を持って亀戸《かめいど》にある長屋で暮らしはじめた。仲のいい夫婦だったそうですよ。ところが、お鈴さんは、胸をやられちまった。労咳《ろうがい》ってやつですよ。薬代もたけえから、庄助さんは稼がなきゃならねえ。庄助さんが稼ぐってことは旅に出るってことですからね。胸を患《わずら》った恋女房を独り置いて旅に出るのは、さぞ辛《つら》かったでしょうね。庄助さんは、金を稼いだら、お鈴さんを迎えに来て、空気のいいところで暮らすつもりだったようです」

見ると、八五郎の唇《くちびる》が震えている。

「あにい、そこまで親身になってくれるなんざ、さすがに人情家だ」

松吉がみんなからの金を持って、富士元に繰り出したのは昨夜のことだ。今朝《けさ》になっても戻らなかったらしい。

「ま、まあな……。ところでおめえ、それをどうやって調べたんでえ」

文七は持っていた手紙を広げた。

「これを描いたのは。亀戸天神《てんじん》の境内を縄張りにしている似顔絵師でした。二人のこともよく知ってましたよ。庄助さんが旅に出る二日前に、連れ立って来たそうです。お鈴さんの顔は、ずいぶん痩《や》せていたようですが、ふっくらとした顔にしてくれって。手紙の文字も、その絵師が書いたそうです。この手紙を残して、庄助さんは今生《こんじょう》の別れになるかもしれねえ旅に出たんだそうです」

「ところで、それはいつの話だ」

「二年近く前のことです。半年ほどして、庄助さんは亀戸に戻ったそうですが、お鈴さんは、その十日ほど前に亡くなったとか。この世にゃ、神も仏もいねえんですかねえ……。それから、庄助さんはどこへ行ったかわからねえそうです」

八五郎は肩を落とした。二重の衝撃だ。

「そうかい……。そういう話だったのか」

文七は、まだその手紙を眺《なが》めている。

「お糸ちゃんに、本当のことは言えません。あんなに、お鈴さんのことを心配していたのに、悲しすぎらあ。もろいもんですからねえ、乙女心《おとめごころ》ってやつは。この件は、あっしに任せてもらってもいいですかい」

「どうするんでえ」

「足が治ったお糸ちゃんが、亀戸天神に行かねえとも限らねえ。そうならねえような作り話を用意するしかねえでしょう」

「すまねえな。おめえにばっかり面倒かけちまってよ」

「さあ、あにい。仕事にかかりましょうぜ」

二人は職人の顔に戻り、立ち上がった。


おけら長屋の自分の部屋で、松吉は四人の男たちに取り囲まれている。

「松吉、ゆんべの成果を聞かせてもらおうじゃねえか」

松吉は、にやけた顔でみんなを見回す。

「なんでえ、揃いも揃ってこええ顔しやがって」

腕組みした八五郎は、その強張《こわば》った表情を崩さない。

「そのお鈴って女は、手紙に出てくる、お鈴に間違いなかったんだろうな」

松吉は四方からの視線を浴びながら――。

「確かに『おりん』って女だったんだけどよ。字がちょっと違ってましてね。『お鈴』じゃなくて『お凜』。なんだか難しい字でよ。まあ、わかりやすくいえば『おりん違い』ってやつで。これが、ふっくらとした色っぺえ女でね。初回だから、顔見世だけかと思いきや、『あら、様子のいいお兄さんだこと。あたしの好みだよ。今夜はゆっくりしておいきよ～』なんてんで、もう至れり尽くせり。朝までおれを布団《ふとん》から出しちゃくれねえ。いや、まいったね、どうも。みなさん、この度《たび》は本当にお世話になりました」

四人の男たちは、一斉に、松吉に襲いかかった。


引き戸の外から声がかかる。

「お糸ちゃん、いるかい。文七だ」

片足を投げ出して裁縫をしていたお糸は、側にあった着物を、慌てて足にかけた。

「どうぞ、入ってください」

引き戸を開けて入ってきた文七は、立ち上がろうとするお糸を制する。

「いいんだよ、そのままで。おれのことは気にしねえでくれ」

「文七さんが気にしなくても、あたしが気にする。こんな格好じゃあ……」

「怪我してるんだから仕方あるめえ。ちょいとここに座らせてもらうぜ」

文七は土間《どま》に足を置いたまま、座敷《ざしき》の縁《へり》に腰かけた。このままでは、お糸に背を向けることになるので、足を組んで上半身を捻る。

「こいつは伊勢屋の団子だ。後で、お里さんと食べてくれ。八五郎あにいは、団子って柄《がら》じゃねえからな」

文七は、団子の入った折《おり》を畳の上に置くと、指先でお糸の方へと滑《すべ》らせた。

「すみません、気を遣《つか》わせてしまって」

「なあに、たかが団子じゃねえか。で、どうだい、足の方は……」

「もう痛みもないし、杖をつけば歩けるようになりました」

「そうかい。そりゃよかった。ところで……」

文七は、自分の膝を軽く叩いた。

「例の手紙の件だが……」

「何か、わかったの」

お糸の声が高くなった。文七は懐から手紙を取り出す。

「ああ。仕事仲間に似顔絵師の話をしたら、深雪《しんせつ》っていう男を知ってるってえから、行ってみた。似顔絵なんざ、そんなに広い世界じゃねえ。絵を見せりゃ、だれが描いたかくらいはわかるかもしれねえだろ。そしたら、一発で当たりやがった。この絵を描いたのは、その深雪って絵師だった」

お糸は何も言わずに、文七の話を聞いている。

「その深雪が住んでいた長屋で暮らしていたのが、庄助とお鈴だ。庄助は宮大工でな、お鈴と所帯を持ったばかりだったが、親方からの口利きで修業に出ることになった。修業に出て腕を上げるのが宮大工の宿命だ。お鈴と離れるのはつれえだろうがよ。庄助は同じ長屋に住む絵師の深雪に、この絵と、それから手紙も書いてもらい、お鈴に残して修業に旅立ったってわけだ」

「それは、いつの話ですか」

「二年ほど前のことだ。一年ほどで庄助は、お鈴のところへ戻った。しばらくして、宮大工としての腕を買われた庄助は、お鈴と二人で上方《かみがた》に行ったそうだ」

「それじゃ、二人は、また会うことができたんですね」

「ああ。だけどよ、偶然っていうのは恐ろしいな。その深雪って絵師だが、明日、故郷へけえるところだったんだ。あと二日遅かったら、この話は聞けなかったんだぜ」

文七は立ち上がりながら――。

「それから着物のことはわからなかった。きっと上方に行くときに、だれかに売ったか、あげたかしたものが、回り回って古着屋にたどり着いたんだろう。まあ、そういうこった」

お糸は畳に置かれた手紙を手に取った。

「文七さん、ありがとう」

引き戸から出ていく文七の背中が小さく見えた。あのときは、あんなに広い背中だったのに……。

その日の夕刻、仕事から戻った八五郎が――。

「お糸、今日、文七が来たそうじゃねえか」

「おとっつぁん、どうして知ってるの」

「午後に普請場で文七と出くわしたら、そんなことを言ってたからよ」

お糸は、しばらく黙っていた。

「ねえ、おとっつぁんもグルなの」

「な、なんでえ、いきなり……」

お糸は歪《ゆが》んだ笑顔を見せた。

「文七さんは嘘《うそ》をついてる。おとっつぁんの様子もおかしい。わかってるよ。あたしには言いづらい結末だったんだね」

「いや、その……、文七はよ……」

お糸は手紙を取り出して広げた。

「文七さんの話が本当なら『むかえにくる』とは書かない。『かえってくる』って書くはずだもん」

台所で夕食の仕度《したく》をしていたお里が、笑いながら振り返る。

「馬鹿だねえ、あんたたちは……。お糸はもう子供じゃないよ。何を聞いたって、ちゃんと正面から受け止められるさ」

八五郎は、苦笑《にがわら》いを浮かべて、お糸の前に座り込む。

「そうか、それなら話そう」

話を聞き終えたお糸は、手の甲で涙を拭《ぬぐ》いながら——。

「そうだったの。かわいそうだったね、お鈴さん」

「へん。また女の味方をしやがって。庄助だってかわいそうじゃねえか」

お糸とお里は、小さな声で笑った。

「亀戸に円承寺《えんしょうじ》って、ちいせえ寺があってよ。その寺の裏手に、お鈴って女の墓がある。墓っていっても、粗末な塔婆《とうば》が立ってるだけらしいがな。文七はそこに線香を立て、花を供えてきたそうだ。文七は、てめえが墓参りに行ったんじゃねえ。お糸の代わりに行ったんだよ。おめえの代わりに手を合わせてきたんだ」

お里が熱い酒を運んできた。

「ねえ、おとっつぁん。この足が治ったら、お鈴さんのお墓に連れてってもらってもいいかな」

「文七にか……」

お糸は小さく頷いた。

「ああ、そうすればいい。お、おめえ、まさか、文七に惚《ほ》れやがったのか」

「へ、変なこと言わないでよ」

お糸は顔を真っ赤にして横を向いた。

「文七なら許してやるぜ。まあ、向こうが願い下げってとこだろうがよ。あははは……」

お糸がゆっくりと立ち上がったので、八五郎は身構える。

「な、なんでえ。怒りやがったのか」

お糸は笑っている。

「おとっつぁん、たまには肩でも揉《も》もうか」

「おい、おめえ、足はもういいのか。どういう風の吹きまわしでえ。まあ、せっかくだから、頼むとするか」

そんな光景に、お里は目を細める。

「おとっつぁん、だいぶ凝《こ》ってるよ」

「そうかあ。おれも歳だからよ」

お糸は、八五郎の肩につかまりながら、文七の広い背中を思い出していた。

本所おけら長屋（三）　その四

ふろしき

おけら長屋《ながや》に住む、呉服問屋《ごふくどんや》・近江屋《おうみや》の手代《てだい》、久蔵《きゅうぞう》と、同じくおけら長屋に住む表具職人《ひょうぐ》、卯之吉《うのきち》の一人娘、お梅《うめ》の間に男の子が生まれた。だが、久蔵と生まれた子供に血のつながりはない。お梅は湯屋《ゆや》で見知らぬ男に襲われて身籠《みご》もり、紆余曲折《うよきょくせつ》の末、晴れて久蔵と所帯《しょたい》を持つことになったのだ（詳しくは『本所おけら長屋』その七「ふんどし」・『本所おけら長屋（二）』その壱「だいやく」参照）。

出産では命を落とす母子《おやこ》も多く、長屋の連中をヤキモキさせたが、幸いなことに安産で、生後七日目には「亀吉《かめきち》」という名前もつけられた。本来なら、御七夜《おしちや》の祝いの宴《うたげ》が催《もよお》されるところだが、それは、お梅と亀吉が、おけら長屋に戻ってからということになっている。この夜は、長屋を代表して、大家《おおや》の徳兵衛《とくべえ》が、形ばかりの酒と団子を届けただけだったが、久蔵はそれだけでも充分に満足だった。

もっとも、亀吉という名が命名されるまでには、ひと悶着《もんちゃく》あって――。

産後三日目に久蔵宅に上がり込んできたのは、万造《まんぞう》と松吉《まつきち》である。少し酒が入っているのは、いつものことだ。

「よかったな、久ちゃん。珠《たま》のような男の子だってえじゃねえか」

「お里《さと》さんから聞いたけどよ。お梅ちゃんも元気だってな。おれたちが毎日、水天宮《すいてんぐう》にお参りした甲斐《かい》があったってこった」

久蔵は呆《あき》れる。

「その水天宮で御札を買う金は大家さんに借りて、その上、御札は酒に代わってしまったって聞きましたけど」

万松の二人がそんな嫌味《いやみ》に動じるはずもない。

「久ちゃん、酒なんて言ったら罰《ばち》が当たるぜ。御神酒《おみき》と言ってくれ。御神酒と」

「その通りだ。おれたちはよ、ちゃんと願《がん》を懸《か》けて呑《の》んだんだからよ」

久蔵は思わず吹き出しそうになった。

「ところでよ、お梅ちゃんと赤ん坊はいつけえってくるんだ」

「さあ。聖庵《せいあん》先生が、しばらくは離れにいてもいいと言ってくれたので……」

お梅は出産の場所として、おけら長屋の馴染《なじ》み、聖庵堂の離れを借りることにした。ここに産婆を呼び、赤ん坊を取り上げた。お梅に何があっても、聖庵先生のところなら安心だ。胡坐《あぐら》をかいた万松の二人は手持ち無沙汰《ぶさた》のようだ。万造は何気なく尋ねる。

「ところで、久ちゃん……」

「ありません」

「おお、返事がはええなあ」

「酒はあるかって言うんでしょ」

万造は、薄笑いを浮かべる。

「さすがに察しがはええな。まあ、酒があればそれに越したことはねえがな……。ところで、久ちゃん、赤ん坊の名前は決まったのか」

嫌な予感がする。もっとも、この二人の登場自体が悪い前兆《ぜんちよう》なのだから、今さら身構えることもないのだが……。

「とりあえず大家さんに相談してあります。たぶん、霊巌寺《れいがんじ》の和尚《おしよう》さんに頼んでくれるのではないかと……」

「その必要はねえ」

松吉が久蔵の言葉を遮断した。

「おれたちがかんげえてやったからよ。なあ、万ちゃん」

万造は嬉《うれ》しそうに頷《うなず》く。

「冗談じゃありません。どうせあなたたちのことですから、猿とか犬とかなんでしょう」

万造は真面目《まじめ》な表情になった。

「馬鹿《ばか》野郎、仮にも人の名前だ。ちゃんとかんげえてらあ。おれがかんげえたのはよ、ハン次だ」

「ハン次、ですか……」

「ピンとこねえのなら、ハン吉、ハン蔵ってえのはどうだ」

ごく普通の名前に拍子抜けする久蔵。お次は松吉のようだ。

「おれは、チョウ次がいいと思う。嫌だってえなら、チョウ吉、チョウ太。どうだ」

またしても普通の名前に戸惑う久蔵。

「長次、長吉……。確かに長いって字がつくのは験《げん》がいいかもしれませんね。長吉っていうのは、長く吉が続くってことでしょう」

一人悦《えつ》に入っている久蔵に、松吉が釘《くぎ》を刺《さ》す。

「あのよ、『チョウ』ってえのは、なげえってことじゃねえぞ」

「それじゃ、どういう意味なんですか」

「丁半《ちょうはん》の丁よ」

「丁半の丁……。半次、丁次って、丁半博打《ばくち》じゃないですか。ふざけないでください」

万造は笑いながら——。

「他にもかんげえたんだぜ。ピン太、ゾロ吉、コマ蔵ってよ。きっと勝負づええ男に育つぜ。なあ、松ちゃん」

「おれもそんな名前をつけてほしかったぜ。とりあえず、おれたちがかんげえた名前は、ご隠居《いんきょ》さんに書いてもらってきたからよ。ここに置いとくぜ。じゃあな」

万造と松吉が帰った後、久蔵がその紙包みを持つと、中に何かが入っている。包みを開いてみると、畳《たたみ》の上に、四角い一朱銀《いっしゅぎん》がポトリと落ちた。紙には下手糞《へたくそ》な平仮名でこう書かれている。

「めでてえな　きゅうぞう　おとっつあん」

お梅が見知らぬ男に襲われ身籠もってから、だれよりも久蔵とお梅のことを親身になって心配した——やり方は無茶苦茶だったが——のは、万造と松吉である。それは久蔵にもよくわかっていた。素直に祝儀《しゅうぎ》を持ってこれない万松の二人に、久蔵の目からは涙が流れた。

北陸の大大名、前川《まえかわ》藩の朱鷺《とき》姫が、徳川譜代《ふだい》の水崎《みずさき》藩主の跡継ぎに嫁《とつ》いだのが二年前。婚礼の際には、贅《ぜい》を尽くした調度品や祝いの品が誂《あつら》えられた。水崎藩を驚かせたのは、黒漆《くろうるし》に金箔《きんぱく》が装飾された貝桶《かいおけ》。貝桶は貝合《かいあ》わせに用いる合わせ貝を納める桶で、二個一組になっている。蛤《はまぐり》は対《つい》の一片としか形が合わないことから、女性の貞淑《ていしゅく》を象徴するものとして、婚礼の調度品としては欠かせないものだった。蛤の内側には、前川藩御抱《おかか》えの絵師に、色鮮《いろあざ》やかな花鳥風月《かちょうふうげつ》を描かせ、貝桶には北陸工芸を代表する漆と金箔の技術がふんだんに用いられている。それは開藩以来、内福《ないふく》だと評判の前川藩の藩力を誇示するものでもあった。

その他にも、三棚《さんたな》、楽器、化粧道具、香道具《こうどうぐ》、茶道具、遊戯具、書画と、調度品とあればなんでもござれ。おけら長屋に住む貧乏人たちとは別世界の話だが、そうもいってはいられない展開になってきた。

朱鷺姫は、ご懐妊《かいにん》となり、男の子が生まれた。水崎藩お世継《よつ》ぎの誕生である。正室に男の子が生まれることは、藩の安泰につながる。こんなにめでたいことはない。それは朱鷺姫の実家である前川藩にとっても同じことだ。朱鷺姫がお世継ぎの母となれば、水崎藩に対しても強い影響力を持つことができる。朱鷺姫がお世継ぎを産《う》めず、側室が男の子を産めば、立場は弱まるからだ。この慶事に浮かれた前川藩主は、地元前川藩内のみならず、江戸や上方《かみがた》の大店《おおだな》に対し、調度品に関する通達を出した。

南本所石原町《みなみほんじょいしはらちょう》にある呉服問屋、近江屋の主人、益次郎《ますじろう》は、番頭《ばんとう》、手代、女中、丁稚《でっち》に至るまで使用人を一室に集めた。もちろんその中には手代の久蔵もいる。益次郎は明らかに興奮している。

「この近江屋にも前川藩からの通達が届きました。これはたいへんに名誉なことです。前川藩は、水崎藩に誕生したお世継ぎ、七寿丸《しちじゅまる》様への祝いの品を、全国から募《つの》るそうです。優《すぐ》れた品には金に糸目をつけずに買い上げると認《したた》めている。これは近江屋にとってもまたとない機会です」

番頭の与助《よすけ》が益次郎に尋ねる。

「旦那《だんな》様、それは呉服だけでございますか」

「いや、装飾品、家具、遊戯具など、種類は限られていない。何を何品お買い上げになられるかも定められてはいません。気に入った品は、すべてお買い上げいただけるとのことです。もちろん近江屋は呉服問屋ですから、着物や反物《たんもの》の類《たぐい》になります。何を考え、何を作るかは自由です。ただし既成の品は認められません。七寿丸様のために新たにこしらえた品に限ります」

与助は不安気だ。

「旦那様、前川藩に気に入っていただく品を作るには、どれほどの金子《きんす》がかかるのでしょう。もしお買い上げいただけなかったときは、近江屋の丸損《まるぞん》でございます」

益次郎の興奮は少し落ちついたようだ。

「番頭さん、そのことは私も考えました。残念ながら、この近江屋は江戸で一流の呉服問屋とはいえません。私はこの近江屋を、江戸屈指の呉服商にしたいのです。商《あきな》いには、損して得《とく》とれという言葉もあります。前川藩は外様《とざま》とはいえ名門です。その前川藩のお墨付《すみつ》きをいただき、前川藩御用達《ごようたし》の看板を掲げれば、近江屋の名は天下に轟《とどろ》く。私は、この通達を好機到来と考えます」

益次郎の話を聞く奉公人一同は大きく頷いた。

「まずは、何を作るか……。躍起《やっき》になっているのは、この近江屋だけではありません。日本中の大店や職人、絵師などが同じことを考えているはずです。趣向《しゅこう》のきわだって新しいもの……。もし、お前さんたちがその品を考え、近江屋の品として採用された場合には五両。その品が前川藩にお買い上げいただけたら二十両を与えましょう。番頭、手代、丁稚は問いません。よいですか。よい案が浮かんだ者は、すぐ私に知らせるように。わかりましたね」

久蔵の握った拳《こぶし》に力が入る。お梅と所帯を持ち、亀吉も生まれた。一家の長として頑張らなければならない。久蔵に気張《きば》るなというのは無理な話である。

前川藩お買い上げの一件は、またたく間に江戸中に広まった。大店が軒《のき》を並べる日本橋《にほんばし》通りなどは、この噂《うわさ》で持ち切りだ。本屋の須原屋《すはらや》、呉服商の三井越後屋《みついえちごや》や大丸《だいまる》、小道具の木屋《きや》などは、財力にものをいわせて豪華な品を誂えると、もっぱらの評判だ。

大伝馬町《おおでんまちょう》や、茅場町《かやばちょう》に並ぶ中小店は趣向勝負だ。前川藩からの通達には「趣向を凝《こ》らした」との注文がある。前川藩主の忠家《ただいえ》公は粋《いき》な人物と聞く。大店の財力には敵《かな》わないが、奇抜な品なら充分に戦える。また通達の最後に書かれていた「どのような品物を納めても、お咎《とが》めは一切ない」の一行は庶民を安心させた。「慶事の品にこのような物を……」と、首を刎《は》ねられたのでは堪《たま》ったものではないからだ。

舞い上がっているのは問屋や商店だけではない。職人たちも腕の見せどころだ。

飾職人《かざり》、指物師《さしものし》、染師《そめし》、鍛冶職人《かじ》に根付職人《ねつけ》……。それぞれが自慢の逸品を問屋や店に持ち込む算段だ。

本所松井町《まついちょう》の居酒屋で呑んでいるのは、おけら長屋に住む、米屋の万造、酒屋の松吉、左官《さかん》の八五郎《はちごろう》、たが屋の佐平《さへい》。お馴染《なじ》みの四人だ。前川藩の話になると八五郎の機嫌が悪くなる。

「まったくよ、前川藩だが、前掛け藩だか知らねえが、どいつもこいつも金に目が眩《くら》んで振り回されやがって。気に入らねえったらありゃしねえ」

万造は、なだめるように酒を注《つ》ぐ。

「八五郎さん、ほんとは悔しいんでしょう。いくら腕があったって、左官じゃ前川藩に売りようがねえ」

八五郎はその酒を一気にあおった。

「あはは。その通りでえ。水崎藩まで出向いてよ、お世継ぎ様のお部屋の壁を塗《ぬ》らせてくださいとも言えねえだろ」

ひと笑いした後に、酒屋の松吉が――。

「うちの馬鹿《ばか》旦那も、ない知恵をしぼってまさあ。お世継ぎだかなんだか知らねえが、ガキの名前は七寿丸とかいうんでしょう。北陸がらみってことで、九谷焼《くたにやき》の五《ごん》からね」

合徳利《ごうどくり》に酒を入れて『七寿香梅《こうばい》』なんてどうかって。水崎藩といやあ梅が有名です
「肝心な酒はどうするんでえ。灘《なだ》か、越後《えちご》か」

「そんなの、そこらへんの酒をぶち込んでおきゃ、わかりゃしませんよ。酔っ払っちまえば同じですからね」

「それも、ちげえねえや。万造、おめえんとこの米屋も何かかんげえてるのか」

万造は面倒臭《くさ》そうに首筋を掻《か》いた。

「店の旦那が、あっしに何か考えろってうるせえから、米のひと粒ひと粒に細い筆で『七寿米』って書いて、それを一俵《ぴょう》、前川藩に持ち込みましょうって言ったら、『何年かかると思ってんだ』って小言《こごと》を食らっちまった。だったらてめえで考えろってんだ」

八五郎と松吉は大笑いするが、佐平からの反応がない。八五郎は佐平の顔を覗《のぞ》き込んだ。

「ははん……、おめえ一攫千金《いっかくせんきん》を狙《ねら》って何かを作りやがったな。だが結局しくじった。図星だろ」

佐平は肩を落とす。

「作ったわけじゃねえ。考えただけだ。おれはたが屋だからよ、桶《おけ》か樽《たる》しか作れね

え。上等な檜《ひのき》で、でっけえ桶を作ってよ、桶の底に『七寿桶』って焼印を押す」

八五郎は腹を抱える。

「板に焼印って、蒲鉾《かまぼこ》じゃねえんだぞ」

「お咲《さき》にも同じことを言われた」

笑いながら万造が尋ねる。

「それで、そのでっけえ桶ってえのは、何のための使うもんなんですかい」

「それを考えていなかった」

松吉が酒を吹き出したので、万造は慌《あわ》ててメザシの皿をどかした。

「ところで、こっちの祝いの品はどうなってるんだ」

その皿からメザシを一匹つまんだ八五郎が切り出した。おけら長屋の住人たちで、亀吉に祝いの品を贈ることになっているのだ。

「あれっ、八五郎さん、知らねえんですかい」

万造の言葉に松吉も追従《ついじゅう》する。

「お里さんと話をしてねえ証拠だな。ねえ、佐平さん」

「おう、八五郎。女房は大切にしなきゃいけねえよ。その点、おれんとこは円満だからよ。うん。ありゃ、いい贈り物をかんげえやがったな」

八五郎は足を組み直す。

「なんでえ、なんでえ。おれだけ除《の》け者かよ。亀吉に何を贈ることになったんでえ。早く教えやがれ」

　万造は顔をしかめる。

「それが人から教えてもらう態度ですかねえ。亀吉には、赤ん坊用のちいせえ布団《ふとん》を贈ることになりました」

　八五郎は拍子抜けしたようだ。

「なんでえ、そりゃ。面白《おもしろ》くも、おかしくもねえだろ」

　松吉が両手を開いて「まあまあ」となだめる。

「おれたちも、そう思いましたけどね。これには、ちょいとした趣向があるんで。どうせおれたちは貧乏人だ。ロクなものは買えやしねえ。浅草《あさくさ》や、柳原《やなぎはら》土手《どて》の古着屋に行けば、端切《はぎ》れが売ってるでしょう。おけら長屋の住人全員が、別々に、それぞれ気に入った端切れを買ってくるんです。それをお染《そめ》さんと、八五郎さんとこのお糸《いと》ちゃんが縫い合わせて小さな布団を作る。中に入れる綿《わた》は、大家とご隠居さんに出させます」

「お染さんと、うちのお糸が……」

　八五郎は腕を組んで唸《うな》っている。万造が嬉しそうに――。

「色も柄《がら》も違う端切れ。それを縫い合わせてひとつのものが出来上がる。これって、おけら長屋そのものじゃねえですか。きっと、あったけえ布団になる。亀吉はそのあったけえ布団に包まれて丈夫に育つって寸法でえ」

八五郎は小さな声で「ざまあみやがれ」と呟《つぶや》いた。佐平は耳を傾ける。

「えっ、八五郎、今なんて言ったんだ」

八五郎は卓を拳で叩《たた》いた。

「ざまあみやがれって言ったんでえ。お世継ぎだか、七寿丸だか知らねえが、亀吉の方がよっぽど幸せだってんだ。そんな布団は百両千両出したって買えやしねえ。買えやしねえんだよ。どうだ、恐れ入ったか」

興奮する八五郎を余所《よそ》に、万造がひと言──。

「なんでえ、さっきまでなんにも知らなかったのによ。てめえが考えたみてえに言ってやがらあ」

松吉と佐平は大笑いした。


そのころ、久蔵は八五郎宅を訪ねていた。八五郎は不在と聞いて、胸を撫《な》で下ろす久蔵。とにかく話に首を突っ込まれたくない。理由はそれだけだ。お里は南森《みなみもり》下町《したちょう》にある絹問屋、成戸屋《なるとや》に女中頭《がしら》として奉公している。久蔵の姿を見ると、お里の顔はほころぶ。

「亀吉は元気かい」

「ええ。よく乳《ちち》を飲んで、よく泣いて、よく眠ります」

「そりゃいいや。それが赤ん坊の仕事だからね。お梅ちゃんは、まだ本調子じゃないんだから労《いたわ》ってやんなきゃいけないよ。あたしがお糸《いと》を産んだときを思い出すよ。こっちはまだ身体《からだ》が辛《つら》いのに、酒を呑ませろだの、肴《さかな》を作れだの。まったくあの亭主ときたひにゃ、おむつひとつ替えたことすらありゃしない。あれは確か、お糸が生まれて十二日目の……」

お里の話には終わりがない。どこかで止めなければ年を越すかもしれない。

「成戸屋さんですが……」

「夜中だったかね。急に熱を出しちまってね」

おまけに、お里は人の話を聞いていない。

「あの、お里さん、成戸屋さんのことなんですが」

久蔵の大声に、お里は我に返った。

「なんだよ、急に。びっくりするじゃないか。成戸屋がどうしたって」

やっとまともに話せる状況になった。

「今、世間は前川藩の件で大騒ぎになっていますけど、成戸屋さんは動きますか」

お里は、一段高くなっている座敷《ざしき》に座るように手で招いた。

「ああ、その件かい。うちは何もしないよ。成戸屋は、神田佐久間町《かんださくまちょう》にある絹問屋・志摩屋《しまや》の分家だからね。本家を差し置いて出しゃばったまねはできないさ。もっともうちの旦那は渋ちんだからね、損するかもしれないことなんか、しやしないさ」

これで競争相手がひとつ減ったことになる。

「本家の志摩屋さんは、どうなんですか」

「さあね……。ただうちの旦那の話によると、本家の志摩屋は、徳川御三家《ごさんけ》、紀州《きしゅう》さまの御用達だからね、前川藩と水崎藩の話には乗らないと思うって。なんだい、久蔵さん。近江屋さんは、前川藩に売り込む品を作る気なのかい。よしときなよ、そんな大名の道楽に付き合うのは。馬鹿馬鹿しい。最初は乗り気だった他の店も、すっかり冷めちまってさ。ほとんどがやめるらしいよ。だって、お買い上げいただけるかわからないんだろ」

亀吉が生まれる前なら、久蔵もそう思ったはずだ。だが今は違う。夫としても、父としても立身し、一日でも早く手代頭、番頭へと出世しなければならない。

「近江屋は呉服商ですから、絹織物の仕入れ先はあります。ただうちの看板商品は、木綿《もめん》なんです。成戸屋さんなら、陸奥国伊達郡《むつのくにだてごおり》産の絹織物を手に入れることができますか」

世間話のつもりだったお里だが、次第に久蔵の心の中が見えてきた。

「久蔵さん、あんた、必死なんだね。わかるよ、その気持ち。所帯を持って、親にもなったんだものね。頑張らなきゃね。あんたが何を考えているのか知らないけど、旦那に聞いてみるよ。最高級の絹織物を手に入れりゃいいんだろ」

「そのときには、よろしくお願いします」

久蔵は深々と頭を下げた。

その足で久蔵が訪ねたのは、八五郎の隣に住む相模屋《さがみや》の隠居、与兵衛《よへえ》宅である。与兵衛は見開いた本を左手に持ちながら、碁盤《ごばん》とにらめっこの真っ最中だ。

「おや、久蔵さんかい。これは珍しいな。何用《なによう》ですかな」

与兵衛が余所余所しい挨拶《あいさつ》をするのには理由がある。赤ん坊の名付け親は自分だと思っていたものが、霊巌寺の和尚に横取りされ、拗《す》ねているのだ。しかも与兵衛がこっそり考えていた名前も「亀吉」だった。亀沢町で生まれた亀吉。亀は飢渇《きかつ》に堪《た》え、鶴とともに長寿の生き物としてめでたい。「万年の吉が続いて、寿限りなしだ」などとうんちくを語るつもりだったが、すべては御破算《ごはさん》となった。毎年続けてきた霊巌寺への御布施《おふせ》も今年はやめるつもりだ。

「おけら長屋で一番の物知りなご隠居さんに教えていただきたいことがありまして……」

そこは久蔵もおけら長屋の一員。与兵衛を操る手順はちゃんと心得ている。与兵衛は面倒臭そうに本を閉じたが、口元は緩《ゆる》んでいる。

「私にわかることでしたら教えましょう。こちらに上がってお座りなさい」

久蔵は碁盤を真ん中にして対座した。

「『七』というのは、縁起《えんぎ》が良い数字なのでしょうか」

与兵衛の口元はさらに緩む。得意な分野なのだろう。

「そうとは限らん。確か、お前さんのところは、昨日が御七夜だったな。子供が生まれて七日目の祝いだから、これはめでたい。だが人が死んで七日目に仏事を営《いとな》むことを初七日《しょなのか》という。これはめでたいとはいえんな。七でめでたいといえば、まず思いつくのが七福神《しちふくじん》じゃな。七福神は知っておろう」

まだ決めたわけではないが、久蔵には茫洋《ぼうよう》とした腹案《ふくあん》があった。七寿丸様に羽織《はおり》や着物を誂えるとしたら、織物は高級な絹ということになろう。呉服となれば他の調度品のように奇抜な形にすることは難しい。色と下絵が勝負となる。七寿丸様に因《ちな》んで「七」に掛かる図案はないものか。

「福をもたらす七つの神。これはめでたいぞ。恵比寿《えびす》様は商売繁盛《はんじょう》と五穀豊穣《ごこくほうじょう》をもたらす。七福神の中で、日本由来の神はこの恵比寿様だけだ。後は西の国の神じゃ。大黒天《だいこくてん》は食物の神だな。毘沙門天《びしゃもんてん》は福徳の神として……」

与兵衛は勢いづいて口から沫《あわ》を飛ばしている。こうなると止めるのは危険だ。しばらくは聞き流しておこう。何気なく碁盤に視線を落とした久蔵は、目を疑った。

もちろん久蔵は碁など打てない。だが近江屋の旦那、益次郎が碁を打つ場面にはよく出くわす。これは五目並《ごもくなら》べではないのか。与兵衛は、久蔵が声をかけたときに見栄《みえ》を張って本を開いたのだ。

久蔵は見てはいけないものを見てしまった気がして、視線を戻した。

「おい、久蔵さん。人の話はちゃんと聞くものだ。七福神のことはだいたいわかったかい」

「さすがはご隠居さん。名代《なだい》の物知りですね。勉強になりました。その他に『七』で縁起の良いものはありませんか」

与兵衛はしばらく考え込んでいたが――。

「縁起とは少しばかり違うがな……」

思いもよらぬ与兵衛の話に、久蔵の視界は明るくなった。

近江屋の奥座敷で、主《あるじ》の益次郎と対座する久蔵。いつにない久蔵の迫力に益次郎はどこか身構えている。

「番頭さんの話によると、何かよい考えが浮かんだそうだな。聞かせてもらいましょう」

久蔵は改めて頭を下げた。

「近江屋は呉服商です。呉服商であるからには、呉服で勝負しなければなりません。羽織を誂えようと思います。七寿丸様が立ってお歩きになられたときに、お召《め》しいただく羽織です」

益次郎は「羽織ねえ……」と覇気《はき》のない返事をした。久蔵の思いつきが、あまりにも平凡だったからだ。だが久蔵は、益次郎の態度に怯《ひる》まない。

「奇をてらっても、気を引くのは最初だけです。七寿丸様にご愛用いただき、その質や、垢抜《あかぬ》けした絵柄を評価していただくことが肝要です」

「しかし、ただ羽織といってもねえ……」

益次郎の反応は鈍《にぶ》い。

「私は七寿丸様の『七』という文字にこだわりたいと思います。羽織の絵柄ですが、はじめは七福神がよいかと思いました。ですが、これでは、さもありなん。能がありません。前川藩のお殿様は、粋で洒落《しゃれ》っ気のある人物と伺《うかが》っております。七福神では風情《ふぜい》を感じることはできません」

ここで久蔵はひと呼吸おいた。

「そこで私が考えたのが七草《ななくさ》です。羽織は春からお召しになれる一重《ひとえ》と、秋からお召しになれる袷《あわせ》の二着を誂えたいと思います。春の羽織には、春の七草、すなわち、セリ、ナズナ、ゴギョウ、ハコベラ、ホトケノザ、スズナ、スズシロの絵を描きます。秋の羽織には、秋の七草、オミナエシ、オバナ、キキョウ、ナデシコ、フジバカマ、クズ、ハギ……。春の七草は粥《かゆ》に入れて食べるものですが、邪気を払い万病を除くといわれ、将軍様をはじめとして、すべての武士が七草粥を食するそうでございます」

益次郎は、先程までとは打って変わり、食い入るように久蔵の話を聞いている。

「なるほどな……。どのような仕法にするか、考えはあるのか」

久蔵の頭の中では、喋《しやべ》ることすべてが整理されている。

「生地《きじ》は絹を使います。今、成戸屋さんの二番番頭、美濃吉《みのきち》さんに、陸奥国伊達郡産の絹反物が手に入らないか問い合わせています。七草の下絵は、腕のよい友禅《ゆうぜん》の染師に描いてもらうつもりで、すでに何人かにあたりを付けてあります。江戸の染師たちは派手な色を嫌います。幸いなことに春の七草に咲く花は、主に白と黄です。光沢のある白い絹の羽織。その羽織の裾《すそ》近くに、淡い緑の葉の中に咲く、控えめな白と黄の花。また秋の七草では、キキョウとクズが薄紫の花を咲かせます。白い絹地との対比も抜群でしょう。これが江戸の粋というものです」

益次郎は腕を組んで、しばらく思案していたが――。

「いいかもしれんな……。うん。いい。いいじゃないか。久蔵、お前はしばらくその仕事に専念しなさい。わかりましたね」

益次郎のお墨付きをもらって、久蔵の熱は高まる一方だ。

商いをする上で大切なものに情報収集がある。特に呉服、小間物、装飾などの商いをする者は、全国を行商する者から他国での流行《はや》りなどを耳に入れる。京で流行ったものが一年後に江戸で、また江戸で流行ったものが、しばらくして上方で流行ることがあるからだ。また、木綿や絹などは、原産地での出来具合が、その後の価格に大きな影響を与える。不作との情報が入れば、多少高くとも仕入れを増やし、在庫を蓄える。そしてそれが大きな利益を生む。その逆で豊穣なら、必ず値崩れが起きる。抱えている在庫を早く放出しなければ大損だ。いずれにしても、早く情報を得た者が圧倒的に有利なのだ。近江屋でも、信頼できる富山《とやま》の薬売りなどに小《こ》遣銭《づかいせん》を渡して様々な情報を仕入れていた。

今、久蔵が知りたいのは、他の呉服問屋の動向である。お里の話によると――。

「深川《ふかがわ》の平野町《ひらのちょう》に多津美屋《たつみや》って呉服屋があるだろ。そこに達治《たつじ》っていう手代頭がいる。その達治さんが、成戸屋にやってきてね、あんたと同じで、伊達郡産の絹は手に入るかって尋ねてたよ。後でうちの美濃吉どんに、それとなく探りを入れてみたら、やっぱり前川藩だってさ」

多津美屋といえば、近江屋と同じ中堅の呉服問屋である。前川藩に祝いの品を買い上げてもらい、名を揚《あ》げようとしても不思議ではない。

「伊達郡産の絹のこと以外には、何か聞いていませんか。どんなことでもよいのです」

「さあ……。詳しいことは知らないけど。美濃吉どんの話だと、躍起になってたってさ、その達治って人。美濃吉どんが『何を誂えるんですか』と尋ねたら『それは言えないが、自信はあります。そのためには最高級の絹が必要なんです』って。久蔵さん、あんたも頑張らないと駄目だよ」

お里に発破《はっぱ》をかけられた久蔵は不安になる。他の店のことなど気にしないで、己《おのれ》の為《な》すべきことに集中すべきだ。他人のことなどを知ったところで何の意味もない。それはわかっている。わかっているが、気になる。どうしようもなく気になる。理屈ではわかっていても、気持ちを抑えることができない。まだ二十二歳の久蔵には仕方のないことだ。

近江屋での仕事を終えた久蔵は、自分の家には戻らず、万造宅の引き戸を開けた。都合のよいことに――予想通りでもあるのだが――万造は松吉と酒盛りの真っ最中だ。

「よっ、久蔵おとっつぁんじゃねえか。どうしたい」

久蔵は手に提《さ》げていた徳利を出しながら――。

「先日は、祝儀を頂戴《ちょうだい》してありがとうございました。お返しといっては何ですが……」

二人の視線は徳利に集中する。

「おお、久ちゃんにしちゃ気が利《き》くじゃねえか。団子なんざもらっても何の役にも立たねえからな。なあ、松ちゃん」

「おおよ。まあ、おめえもこっちに上がって一杯呑んでいきな」

久蔵が座敷に上がると、万造が徳利を奪うように取り上げる。

「気が変わるといけねえからよ。こいつはこっちにもらっとくぜ」

久蔵は茶碗に注がれた酒を少しだけ呑んだ。

「ところで、お梅ちゃんと亀吉は、いつこっちにけえってくるんでえ」

万造は小皿に盛られた味噌《みそ》を指先につけて舐《な》めながら尋ねた。

「たぶん、あと二、三日だと思います」

松吉は、好物のメザシを口にくわえている。

「久蔵、おめえ、こんなところにいていいのか。お梅ちゃんのところには顔を出してるんだろうな」

久蔵は手に持っていた茶碗を箱膳の上に置いた。

「いえ、お店で雑用がいろいろありまして……」

「ふーん、そうかい。今日はお染さんが、聖庵堂に亀吉の顔を見に行ったらしいぜ。おめえ、昨日もお梅ちゃんのとこに行かなかったそうだな」

久蔵は心の中で「これだから長屋は暮らしにくい」と舌打ちをした。行いは筒抜けで、誰もが知るところとなる。

「ですから、お店が忙しいんです。お梅ちゃんも、そこのところはわかってくれているんで」

万造は指を意地汚くしゃぶる。

「じゃあ聞くが、今、なんでこんなところにいる。酒だけ持ってくりゃ、もうおめえなんぞに用はねえ。今からでも聖庵堂に行ってやれ」

今度はゴクリと酒を呑む久蔵。

「今日は、お二人にお願いがあって来ました」

久蔵の顔は少し緩む。これから万造と松吉が飛びつきたくなる話をするのだから。

「前川藩が祝いの品を買い上げる話は知っていますよね」

「ああ、これだけ世間が騒いでるんだからよ。聞きたくなくても耳にへえってくらあ」

万造はぶっきらぼうに答える。

「近江屋の旦那もたいへんに乗り気になっておりまして、近江屋の品として採用される品を考えた者には五両、それが実際に前川藩にお買い上げいただいたときには、二十両を賞金として与えるとのことです」

金の額を聞いて、万造と松吉の目の色が変わった。予想通りだ。

「つ、つまりよ、こういうことか。例えば、近江屋の何人かが、何を誂えようか考える……」

万造の物語を、松吉が引き継ぐ。

「近江屋の旦那が、それを吟味《ぎんみ》して『よし、久蔵の考えた品でいきましょう』ってなことになりゃ、おめえが五両いただけるって、おいしい話か」

その話を今度は万造が引き継ぐ。

「その品が、前川藩のお殿様のお目に留《と》まって、お買い上げとなった暁《あかつき》にゃ、久蔵の懐《ふところ》に二十両が転《ころ》がり込むって寸法か」

久蔵は平常心を装って「その通りです」と答えた。万造は腕を組みながら――。

「だけどよ、益次郎さんは、そんな大盤振る舞いをしちまって大丈夫なのか」

久蔵は、たいして呑めもしない酒を、また舐めるように呑んだ。

「商いには、損して得取れという格言があります。前川藩お買い上げとなれば、百両は下らないでしょう。ですが、その儲《もう》けだけではないのです。近江屋の名は江戸のみならず、広く知れ渡り、信用、格式ともに高まることになるでしょう。もちろん私に対する旦那様の信用も高まります」

　万造と松吉は顔を見合わせる。

「なんだか、久蔵らしくねえな」

「ああ、悪いもんでも食ったんじゃねえのか」

　久蔵には、それが褒《ほ》め言葉に聞こえた。

「もちろん今までの私とは違いますよ。所帯を持って、子供も生まれたんですから。さて、さきほどの話の続きですが、近江屋の旦那様は、私の考えた品をたいへん気に入ってくださいました。おそらく近江屋は、私が考えた品を誂えることになると思います」

「そ、それじゃ、もう五両は、おめえの懐《ふところ》に入ったも同然ってことか」

「まあ、そういうことになります」

　久蔵は少しの間《ま》をおく。

「五両などはどうでもよいのです。なんとしても、前川藩にお買い上げいただける品物を誂えなくてはなりません。もちろん他の呉服問屋も必死です。深川の平野町に多津美屋という呉服問屋があり、そこに達治さんという手代頭がいます。この多津美屋の達治さんも、私と同じで絹を使った品を考えているようなのです」

「多津美屋なら、おれたちも出入りがあるけどよ……。どうして、おめえがそんなことを知ってるんだ」

「お里さんが教えてくれました」

万造は「ははん」と頷く。

「なるほど、お里さんの奉公先は絹問屋だからなあ……」

久蔵は改まって、膝《ひざ》を正した。

「そこで、お二人にお願いがあります。多津美屋の達治さんが、絹で何をこさえようとしているのか、探りを入れちゃもらえませんか。同じようなものは避けたいですし……。ちゃんと手間賃《てまちん》はお支払いします。小さな噂話でもよいのです。私はこれから夜《よ》の目も寝ずに、誂える品物の手配に動かなくてはなりません。なので、多津美屋さんに探りを入れる余裕がありません。私に五両入ったら、お二人に一両ずつ。もし前川藩お買い上げとなり、二十両が入ったときには、三両ずつお支払いさせていただきます」

この手の話が大好きな万松の二人だ。それに情報収集はお手のもの。その上、金に意地汚い。これ以上の適役はない。しばらく黙っていた二人だが、最初に口火を切ったのは万造だ。

「断る」

久蔵は狐《きつね》につままれたような表情になった。続いて松吉が――。

「おれも断る」

久蔵は前のめりになった。

「ど、どうしてですか。ちゃんと手間賃だって払うと言っているのに」

万造は茶碗の酒を一気に呑み干した。

「おめえの片棒を担ぐなんざ、まっぴらだからよ。なあ、松ちゃん」

「おおよ。てめえはなんにもわかっちゃいねえ野郎だなあ」

珍しく久蔵の顔が険しくなる。

「お梅ちゃんや亀吉のために身を立てたいと思うのが、どうしていけないんですか。お店《たな》のためにだってなることなんです。私は近江屋の手代なんですから」

大声で怒鳴《どな》るのは、万松の方が数段上手《うわて》だ。

「うるせえ、この野郎。酒を置いたらとっとと帰りやがれ。てめえなんぞに用はねえや」

「てめえの顔を見てると酒がまずくならあ」

久蔵の顔が赤くなったのは酒の所為《せい》ではない。

「わかりました。あなたたちに声をかけたのが間違いでした。私は一人でもやります。必ずやってみせますから。後悔しても知りませんからね」

久蔵は捨て台詞《ぜりふ》を残して飛び出していった。

あくる日の夕刻、万松の二人が松井町の居酒屋で呑んでいると、島田鉄斎《しまだてっさい》がひょっこりと顔を出した。松吉が万造の隣に席を移すと、鉄斎は、まるで待ち合わせでもしていたかのように、二人の前の席に着いた。

「昨日、久蔵さんとひと悶着《もんちゃく》あったらしいな」

万造は指を一本立てて、酒を注文した。

「伝わるのがはええなあ。だれから聞いたんで」

「まあ、それとなくだがな。私が知っているのは、万造さんの家から怒鳴り合う声が聞こえて、久蔵さんが飛び出していった……、ってとこまでだ」

松吉が鉄斎の猪口《ちょこ》に酒を注ぐ。

「今、熱いのがきますが、その前にこれで……。久蔵の野郎、大きな勘ちげえをしてやがる。あの馬鹿が……」

鉄斎は燗冷《かんざ》ましの酒を吸い込むように呑んだ。

「前川藩の件かな」

「そうなんで。あの野郎、お梅ちゃんの一番喜ぶことが、金や出世だと思ってるんで」

鉄斎は鼻の頭を掻いた。

「ま、それも仕方あるまい。同時に女房と子供ができたんだ、若い久蔵さんが気負い立つのも無理はなかろう」

新しく置かれた徳利を手にした万造は、その熱さに驚いて、松吉の耳たぶをつまんだ。

「やめろ。なんでおれの耳たぶをつまむんでえ」

「だって、おめえの方が、耳たぶがでけえからよ」

「耳たぶなんざ、どうでもいいだろ。今は久蔵の話だ」

鉄斎は、万造と松吉のこんなやりとりを見るのが大好きだ。

「どうやら、久蔵は前川藩に差し出す品の名案が浮かんだようです。近江屋の旦那が賞金を出すとのたまったらしく、奴《やっこ》さん、完全にてめえを見失ってらあ。なあ、万ちゃん」

「ああ、おれたちに、多津美屋って呉服問屋が何を作ろうとしているのか、探ってほしいと頼みに来ましてね。手間賃を出すからと、ほざきやがった。てめえを何様だと思ってやがる、十年はええや」

鉄斎の胸には悪い予感が走る。万松の二人は鼻が利《き》く。久蔵は勇み足を踏んで、大きなしくじりをやらかすのではないか。しくじりだけで済めばよいのだが……。

友禅の染師が描き上げた下絵の図案は、見事な出来栄《ば》えだった。

春の七草に咲く花は、今を盛りと咲き誇るような傲慢《ごうまん》さはみじんもなく、慎ましやかな気品が漂《ただよ》っている。セリやナズナの白い小さな花は、まるで草に隠れるかのような謙虚さだ。ゴギョウやホトケノザの黄色とも抜群の相性だ。

比べて秋の七草の花は、少し色鮮やかになる。久蔵はその花から、女の一生に似たものを感じとった。オミナエシの黄色は芳紀《ほうき》。ナデシコの淡い紅は妙齢《みようれい》。キキヨウの紫はまさに熟年の色気だ。そしてオバナは憂《うれ》いの美。感じ方は人それぞれだろうが、なんとも奥深い。

益次郎も七草の下絵を絶賛した。

「みんな集まったかい。前川藩への品は久蔵の考えたものにします。それがどのような品なのかは、今しばらく内密にさせてもらいます。どこから洩《も》れるかわかりませんからね。久蔵には、しばらくこの仕事に掛かりきりになってもらいますから、その分はみんなで手分けしてやるように。品物が完成した折には、約束通り、久蔵に五両を与えます。久蔵は本当に頑張りましたからね。みんなも覚えておくように。努力して考え、勤勉に励《はげ》めば給金は必ずついてくるのです」

久蔵は胸を張った。春の七草から謙虚さを読みとったばかりだというのに……。

久蔵が絹の仕入れの件で成戸屋を訪れると、横の路地から、お里が飛び出してきた。

「よかった。もう久蔵さんが来るころじゃないかと思ってさ。今、来てるんだよ。多津美屋の達治さんが。奥で美濃吉どんと話をしてる。顔を合わせない方がいいと思って……」

久蔵は、袖《そで》を引っ張られて路地に引き込まれた。

「ありがとう、お里さん」

「そこの格子戸《こうしど》から覗いてごらん。ほら、あの隅《すみ》で座っている……。背中が見えるのが達治さんだよ」

その男は、畳に紙を広げて、何かを説明しているようだ。成戸屋二番番頭の美濃吉は、熱心にその紙を見つめていた。

「お里さん、あの紙に何が描かれているかわかりませんか」

「わからないよ。さっき人払いされたくらいだから」

「後で美濃吉さんに聞くことはできませんか」

お里は首を横に振った。

「無理だね。商いは信用第一だから。美濃吉どんが喋るとは思えない」

それはお里の言う通りだ。逆の立場だったら、久蔵は美濃吉を許さないだろう。だがあの紙には、多津美屋が前川藩に売り込む品の何かが描かれている。久蔵はどうしてもそれを見たい衝動にかられてきた。それは何が目的の衝動なのだろうか――。

多津美屋の達治が考案した作品が、久蔵の七草を上回るものならば、考え直さなければならない。まだその時間はある。だが久蔵の本当の目的は「安心」だった。達治の考えていることを知り、「なるほど、その程度のことか。これなら勝てる」と安心したいのだ。久蔵は抱えている包みを抱き締めた。中には、七草の下絵が入っている。

しばらくすると達治は広げた紙を畳《たた》み、何かの反物と一緒に風呂敷《ふろしき》で包んだ。小上がりから下りるときに達治の顔が見えた。

「あれが多津美屋の達治さんか……」

その顔は、得意先などで何度か見かけたことがある。お店者《たなもの》にしては体格がよく、厳しい顔をしていた。達治は風呂敷を脇に抱えると、南森下町から一《ひと》ッ目《め》通りを南に向かって歩きだす。おそらく平野町にある多津美屋に戻るのだろう。

気がつくと、久蔵は達治の後をつけて歩いていた。「何をしているんだ」と自分に問いかけてみても、勝手に足が動いてしまう。高橋《たかばし》を渡ると、左手には霊巌寺がある。亀吉という名を命名してくれた和尚の寺だ。だが今の久蔵にそんなことを思う余裕はない。

達治はまったく気づいていない。

（あの風呂敷を引《ひ》っ手繰《たく》ることはできるだろうか……。な、何を馬鹿なことを考え

ているのだ。そんなことをしたら罪人だ。でも、どうしても見たい）

久蔵の頭の中は混乱する。達治は仙台堀《せんだいぼり》の脇を抜け、平野町にある多津美屋に入った。久蔵は大きな暖簾《のれん》の脇から中をうかがう。

達治が店に入り、突き当たりの座敷に上がると、奥から丁稚が顔をのぞかせる。

「達治さん、戻られましたか。旦那様がお呼びですよ」

達治は風呂敷包みを横にある机の上に置くと、丁稚の後を追うように、奥へと消えていった。店の中にはだれもいない。風呂敷包みは机の上に置かれている。土間《どま》から立ったままでも手の届く距離だ。久蔵の鼓動は速まった。

（店に入るだけだ。だれかが出てきたら呉服のことを二つ三つ尋ねればいい。着物の知識はあるんだから怪しまれることはない）

久蔵は店に入ると、小さな声で――。

「御免ください……」

今度は少し大きな声で――。

「御免くださいまし……」

だれも出てこない。風呂敷包みはすぐ手の届くところにある。どうする……。ここで風呂敷を開くのは剣呑《けんのん》だ。持ち出して……。そうだ、持ち出してすぐに返せばよいのだ。返すんだから泥棒じゃない。隙《すき》を見て店の前にでも置けばよいのだ。もう一度、声をかけてだれも出てこなかったら実行する。だれかが出てきたら諦《あきら》める。久蔵はそう心に決めた。

「御免くださいまし……」

返事すらない。久蔵は風呂敷包みを鷲《わし》づかみにして左脇に抱えた。そして振り向いたとき——。

「何をしている」

入口を入ったところにお店者と思われる男が立っていた。店の奥ばかりを気にして、背後には無頓着だった。

「その風呂敷包みは、この店のものだろう」

久蔵は慌てた。

「い、いえ、その、よい柄の風呂敷だと思い、ちょっと手に取ってみただけです」

「嘘《うそ》をつくな。柄を見てる奴が、風呂敷包みを小脇に抱えて、出ていこうとするか」

「ですから、本当に……」

その男は大声で叫ぶ。

「おーい、だれかいないのか。達どん、三吉《さんきち》——」

男が正面で仁王《におう》立ちしているので逃げることはできない。奥の廊下から足音が近づき、達治と、先程の丁稚が出てきた。

「おや、福楽屋《ふくらくや》の番頭さんじゃありませんか。どうしました。大きな声を出して」

福楽屋の番頭という男は、呆れたような笑い方をして、久蔵が脇に抱えている包みを指差した。

「無用心だなあ、この店も。そいつが小脇に抱えているのは、この店の風呂敷包みじゃないのかい」

達治は机の上から風呂敷包みがなくなっているのを見定めた。

「そいつが盗んで逃げようとしたところに、私が入ってきたんだ。危なかったねえ」

達治は土間に飛び下りると、久蔵から風呂敷包みを奪い取った。

「この盗人《ぬすっと》が」

「ち、違います。私はただ、この風呂敷の柄が気に入りまして、手に取ってみただけです。決して盗もうとしていたわけではありません」

達治は、その風呂敷を久蔵の目前に差し出した。

「こんなものは、どこにでもある風呂敷だ。こんな柄が……、お、お前、どこかで見た顔だな……」

「達どん、この男を知っているのか」

「ええ。どこかのお店者でしょうが、何度か見かけたことがあります。お前、どこの店の者だ」

素性《すじよう》を知られることは絶対に避けなければならない。近江屋に迷惑がかかる。

久蔵は黙って俯《うつむ》くしかない。

「答えられないのか。素直に言えば話を聞いてやらないこともないが、そうかい。それじゃ仕方ない。奉行所《ぶぎようしよ》で調べてもらえば、すぐにわかることだ。おい、三吉。今川町《いまがわちよう》の親分を呼んできなさい」

久蔵はその場で土下座《どげざ》をした。

「それだけはお許しください」

「それじゃ、盗もうとしたことは認めるんだな。どうなんだ」

久蔵は床《ゆか》に頭を擦《こす》りつける。

「お前、お店者だろ。どこの店の者だ」

「どうか、お許しください」

達治は大きな溜息《ためいき》をつく。

「仕方ないな。おい、三吉」

奉行所に連れていかれたら終わりだ。ここで謝れば、許してもらえるかもしれない。

「言います。言いますので、どうかお許しを。私は、呉服問屋、近江屋の手代で久蔵と申します」

「近江屋っていうと……、石原町にある……」

「そうでございます」

達治は首を傾《かし》げた。

「解《げ》せないな……。お前も呉服問屋の手代なら、物の値打ちくらいわかっているだろう。何が入っているかもわからない風呂敷包みを盗むくらいなら、その棚にある値の張る反物を盗むはずだ。それに、それほど悪人面《づら》もしていない。何か訳《わけ》がありそうだな。お前、この風呂敷包みの中に、何が入っているのか知っていたのかい」

久蔵は何も答えられない。七草の下絵が入った風呂敷包みを胸に抱えて俯くだけだ。

「その、後生大事に持っている風呂敷には何が入ってるんだ」

久蔵は首を横に振りながら、強く風呂敷包みを抱き締める。

「それだけは、ご勘弁を……」

「人様の風呂敷を盗んでおいて、てめえの風呂敷は見せられないと言うのか」

達治は強引に風呂敷を奪うと、結び目を解《と》いて中身を取り出す。

「なんだこれは。絹の布じゃないか。あまり上等な品じゃないな。この紙は……」

達治は四つ折にされている紙を開いた。

「これは、友禅の下絵だな。お前はいったい何をするつもりだったんだ。約束しよう。すべてを正直に話せば、奉行所に突き出すのだけは勘弁してやろう」

久蔵は観念した。なぜか久蔵の頭には、万造と松吉の顔が浮かんだ。

《おめえの片棒を担ぐなんざ、まっぴらだからよ》

《てめえは、なんにもわかっちゃいねえ野郎だなあ》

自業自得。すべては身から出た錆《さび》だ。久蔵は一切を話した。そして最後に――。

「所帯を持って子供が生まれたことで己を見失っておりました。申し訳ありませんでした」

達治は悲しげに笑った。

「まったく前川のお殿様も罪作りだな。多くの人を惑わしている」

達治は、久蔵が盗もうとした包みを解《と》くと、紙を取り出して開いた。そこには細々《こまごま》と商品名が書かれていた。

「今度、成戸屋さんと、お互いに手薄になっている品物を補充し合うことになってな。これはその目録だ。おっと、詳しくは見せられない。お前も素人《しろうと》じゃないからな。うちは降りたんだよ、前川藩のことはな。はじめは旦那も躍起になったが、気づいたんだよ。商いってえのは、地道に信用を重ねていくもんだってな。お前も馬鹿な男だ。中身が何であろうが盗人は盗人だ」

達治は、七草の下絵が描かれた紙を久蔵の膝に放り投げた。

「お前にも、けじめはつけてもらう。その紙を破け」

紙を持った久蔵の手は震《ふる》える。苦労してやっとここまで出来上がった下絵を破くことになるとは。それも自《みずか》らの手で。だがそれも仕方ないことだ。涙がこぼれそうになったが、必死に堪《こら》えた。紙は無情な音をたてて小さくなっていく。

「久蔵とかいったな。立て」

達治は、力なく立ち上がった久蔵の顔面に容赦《ようしゃ》のない鉄拳《てっけん》を見舞った。そして、よろける久蔵の顔にもう一発。腰が砕けて倒れ込んだ久蔵の鼻と口からは、血が滴《したた》る。

「一発目の拳骨《げんこつ》は、商いの神様からだ。そして二発目は、近江屋の旦那の代わりだ。商いは信用がすべてだ。商いの神様はカンカンになって怒っているぞ。それから、お前は近江屋の手代ということを忘れるな。お前の軽はずみな行いが、近江屋の看板に泥を塗ることになるんだ。近江屋の旦那は、その看板を世間様から認めてもらうまでに、どれだけのときと、どれほどの苦労を積み重ねてきたことか。それをよく考えろ」

俯《うつむ》く久蔵の顔から、真っ赤な血が土間に点々と落ちている。顔面は痺《しび》れていたが、それよりもはるかに心の方が痛かった。

今日は、松吉の家で呑んでいる二人。

「ああ、つまらねえ」

万造は丼《どんぶり》の中からサイコロを指先でつまみ上げた。

「二人でチョボイチ（サイコロ賭博）ってえのは、面白くもなんともねえな」

「ああ、どっちかが勝って、どっちかが負けるだけだ。八五郎さんと佐平さんでも呼んでくるか。もう湯屋からけえってくる時刻だろ」

「そりゃいいや。お里さんと、お咲さんには気をつけろ。なんでもおれたちの所為《せい》にしやがるからよ」

「だがよ、どうかんげえても、おれたちの所為だろ」

「あっはっは。ちげえねえや」

引き戸が開き、顔を見せたのは島田鉄斎だ。

「おや、島田の旦那。珍しいこって」

鉄斎は、万松の二人が揃っていたのでひと安心した。

「思わぬ拾いものをしてな。届けに来た」

万造と松吉は顔を見合わせる。

「さあ、中に入ったらどうだ」

鉄斎に背中を押されるように入ってきたのは久蔵だ。顔を見せたくないのか、俯いているが怪我《けが》をしているのは一目瞭然《いちもくりょうぜん》だ。

「二ツ目之橋《ふためのはし》の脇でうずくまっているところを拾ってきた。訳はあんたたち二人に話すそうだ」

　サイコロを放り投げて、険しい顔になる万造。

「久蔵、だれにやられた。おい、松吉、八五郎さんや佐平さんを集めろい」

「ち、違うんです」

　久蔵は蚊《か》の鳴くような声を洩らした。

　鉄斎は久蔵を座敷に押し上げるようにして自分も上がり込んでくる。

「まあまあ、ここは落ち着いて久蔵さんの話を聞こうじゃないか。私にも一杯いただけるかな」

　鉄斎は腰から刀を抜くと、その場に座り込んだ。

「松吉さん、まず久蔵さんに濡《ぬ》らした手拭《てぬぐ》いを渡してやってくれ」

　久蔵はその手拭いで傷口を冷やす。三人は久蔵が喋りだすのを待った。せかすと逆効果になる。

「私はどうかしてたんです。今、こうして落ちついてみると、それがよくわかります」

　久蔵は涙を流しながら、一連の出来事をすべて話した。

「よかったじゃねえか」

万造がポツリと呟く。

「おれたちがな、無理矢理にでもおめえを止めなかったのには理由《わけ》がある。熱くなっている野郎にゃ、何を言ったたって聞きゃしねえからよ。よう、松ちゃん、おめえの話を聞かせてやれよ。ほら、紅和楼《こうわろう》の……」

松吉は、後頭部に手をやる。

「ああ、あれか……。いつだったかな、吉原《よしわら》の女に入れ揚げちまってよ。よく考えてみりゃ、あっちだって商売だ。『年《ねん》が明けたら、おまえさんのもとに……』なんて言うわなあ。ところが、周りが見えなくなっちまってると、真《ま》に受けちまうのよ。万ちゃんにやめとけって何度も釘を刺されたんだが、結局は、さんざっぱら通わされて、マブは他にいたってオチよ。人間ってやつは、いてえ目を見ねえと、目が覚めねえんだよ」

万造はそのときのことを思い出したのか、大声で笑った。

「久蔵、あのとき、なんでおれたちが怒ったかわかるか。おめえが大きな勘ちげえをしているからだ。おめえがするべきことは、前川藩がどうのこうのじゃねえ。お梅ちゃんの手を握ってやることじゃねえのか。お梅ちゃんと亀吉の側にいてやることじゃねえのか。できる限り、亀吉の寝顔を見守ってやることじゃねえのか」

万造の目にも涙が溢《あふ》れてきた。松吉は、鉄斎と万造の茶碗に酒を注いだ。

「万ちゃんの言う通りだなあ。お梅ちゃんは、あんなことがあって、父親のわからねえ子を産んじまった。女にとっちゃ、子供が生まれるってだけで、気持ちがぐらつくっていうのによ。お梅ちゃんは、だれに側にいてほしいんだろうな。久蔵、おめえだろうよ。所帯を持って気負うおめえの気持ちはわかる。お店で認められてえ、金もほしいって思うのも当然だろう。だがな、お梅ちゃんは、そんなこと望んじゃいねえんだよ。親子三人が仲良く助け合って暮らしていけりゃ満足なんでえ」

しばらくは、部屋の中に久蔵の啜《すす》り泣く声だけが響いていた。茶碗酒を呑み干した鉄斎が少し明るい口調《くちょう》で――。

「しかし、多津美屋の達治という男もなかなかやるじゃないか。少々、荒っぽかったがな」

「まったくですよ。奉行所に突き出されていたら、近江屋の看板に傷がつくところですからね」

「久蔵だって暇《ひま》を出されたかもしれねえ。二発殴《なぐ》られただけなら御《おん》の字《じ》でえ」

「文字通り、痛い目に遭《あ》ったということか」

万造と松吉が同時に「ちげえねえや」と口走ったので、みんなが笑った。久蔵が笑った後に苦痛の声を洩らしたので、またみんなが笑う。

「ところで久蔵さん。前川藩お買い上げの品はどうするんだ」

鉄斎が尋ねると、万造が横から口をはさむ。

「だってよ、七草の下絵は破っちまったんだろ。今さらどうしようもねえやなあ」

久蔵は傷口から手拭いを離した。

「もうやめます。明日、近江屋の旦那様には本当のことを申し上げます。それで暇を出されるのなら仕方ありません」

「しんぺえするねえ。仕事なんかいくらでも手引きしてやらあ。吉原の付《つ》き馬《うま》（勘定の取り立て）、鉄火場《てっかば》の下足番《げそくばん》、夜鷹《よたか》の客引き……」

「あははは。万ちゃんが口を利く仕事はしたくねえなあ」

何かを考えていた鉄斎が――。

「だが、せっかくここまでやったんだ。ここで諦めるのも悔しいじゃないか。前川藩にお買い上げいただく品だが、私の考えに乗ってみる気はないか。久蔵さん、明日、近江屋の旦那にすべてを話すと言ったな。よかったら私も同席させてほしい。これは面白いことになるかもしれんぞ」

予期せぬ鉄斎の発言に、万松の二人は瞳を輝かせた。

近江屋の主人、益次郎は深く溜息をついた。

「久蔵がこんな顔になったのは、すべて私の所為です。商いは地道に信用を重ねていくもの……。確かにその通りですな。当たり前のことを忘れておりました。前川藩のことは、なかったことにいたしましょう」

　島田鉄斎は、益次郎の言葉に、低頭した。

「じつは、近江屋さんにお願いがありまして……。前川藩への品ですが、このまま久蔵さんに任せてもらうわけにはいきませんか。もちろん賞金などはいりません」

　久蔵が頭を下げると、益次郎は何も聞かずに快諾した。

　翌日、お梅と亀吉がおけら長屋に戻り、徳兵衛の家で婚礼と亀吉誕生を祝う宴《うたげ》が開かれた。おかみさん連中は「あたしにも抱かせておくれよ」と亀吉を奪い合う。祝いの席だというのに、徳兵衛の怒りは治《おさ》まらない。

「久蔵が転んで怪我をしたのは、お前たちが無理に酒を呑ませたからだってな」

　悪者役を買って出た万造と松吉は、わざとらしく首をすぼめる。鉄斎は苦笑《にがわら》いをしながら鼻の頭を掻いた。


　江戸に出府《しゅっぷ》した前川藩主、前川忠家は上屋敷で、山のように積まれた祝いの品を自ら手に取ってひとつひとつ吟味《ぎんみ》していた。「石原町・近江屋」と墨痕《ぼっこん》鮮やかに書かれた桐箱《きりばこ》の蓋《ふた》を開けると、出てきたのは、端切れを縫い合わせた小さな布団だった。

「こ、このようなものを……。無礼な」

お付きの者は怒りを顕《あらわ》にしたが、忠家は添えられていた封書の中の手紙に目を通した。そして手紙を畳むと——。

「本所亀沢町に長屋があってな。そこに住む娘が湯屋で見知らぬ男に襲われて身籠もった。娘は同じ長屋に住む、好いた男と所帯を持ち、過日、男の子が生まれた。この布団はの、貧乏長屋で暮らす住人たちが、その子のために端切れを持ち寄り、縫い合わせた祝いの品だそうじゃ」

「さような卑《いや》しい布団を七寿丸様の祝いの品にするとは許せぬ所業でございます」

前川忠家は一喝《いっかつ》する。

「わからぬか。七寿丸をこの布団に寝かせれば……」

ここで少しの間をおいて——。

「貧しい庶民の心がわかる、慈悲深い藩主に育つということよ。これは一本とられたのう」

忠家は大笑いすると、手紙を布団の上に放り投げた。

本所おけら長屋(二) その五

ておや

小田原宿《おだわらじゅく》にある居酒屋の娘、お孝《こう》は母親の弔《とむら》いを済ませ、ひと息ついていた。

お孝が母親の顔を見たのは——すでに死んでいたのだが——五年ぶりのことだった。

母親のお軽《かる》は、若いころから男癖《おとこぐせ》が悪く、お孝は父親がだれかもわからなかった。三十四年前に、江戸から流れてきたお軽は、店をたたむ寸前の居酒屋を買い取って、女主人に収まった。そのときには、すでにお孝を身籠《みご》もっていたことになる。お軽は生涯一度も正式な夫を持たなかった。気に入った男ができると、家に引き込むが、長続きはしない。考えてみれば、「お軽」という名をつけた親には、先見の明《めい》があったのかもしれない。小田原の宿場で「尻軽《しりがる》お軽」といえば、知らぬ者はいないのだから。

お孝は幼いころから見たくないものを、たくさん見て育った。昼間は住居となっている居酒屋の二階で過ごし、——お軽は陽《ひ》が高いうちから酒を呑《の》んでいたので——店が引けると、お孝は一階の奥にある小上がりに布団《ふとん》を敷いて寝る。男を引っ張り込んだ母親が、二階で何をしているのか、子供心に察知していたからだ。

お孝は十八歳のとき、小田原宿の東、藤沢《ふじさわ》宿の海辺にある小さな海産物屋に嫁《とつ》いだ。夫の平吉《へいきち》はよく働く温和な人物で、二人の娘にも恵まれた。当然のように、お軽とは疎遠になる。たまに宿場《しゅくば》へと商《あきな》いに出る平吉が、噂話《うわさばなし》を仕入れてくる程度だ。お軽からもまったく連絡はなかった。

お軽が死んだとの知らせを受け、正直言って安堵《あんど》した。喉《のど》の奥に引っかかってい
た魚の骨がとれたような気がした。聞いた話では、夕方になっても店が開かず、不
審に思った隣人が通りかかった役人に申し出たところ、お軽は二階の布団の中で死
んでいたという。小銭も残っており、不審な点はなく病死《やみじに》と判断された。二年ほど
前に店を普請《ふしん》したときの借金がまだ残っており、それは店を売れば返済できるとい
う。もちろん、お孝は店のことなどはどうでもよかったのだが。
　通夜《つや》に訪れる人も少なく、お孝は久しぶりに、母親と二人きりの夜を過ごした。
白い布を捲《めく》り、お軽の死に顔を眺《なが》めてみる。母親の顔をまじまじと見つめたのはは
じめてかもしれない。送ってきた人生とは裏腹に、安らかな顔をしている。何人も
の男と浮名《うきな》を流し、好きな酒を浴びるほど呑み、ポックリと死ねたわけだから、そ
れなりに幸せな人生だったのだろう。
　野辺送《のべおく》りを済ませ、簞笥《たんす》の中を整理していると、一通の手紙を見つけた。表《おもて》には
「おこうへ」と記してある。お軽の下手糞《へたくそ》な字だ。お孝の胸は高鳴る。お孝は恐る
恐るその手紙を開いた。
《おこう　おまえのちちおやは　えどほんじょかめざわちょうにある　おけらなが
やのおおや　とくべえ》
　お孝は、二度三度とその手紙を読み返す。父親のことなど考えたこともなかっ

た。お軽自身にも、だれが父親かはわからないと思っていた。最後の最後まで娘を苦しめる母親だ。こんな手紙を読まなければ、静かに暮らしていけたものを……。

そういえば――。

五年ほど前、数年ぶりにお軽を訪ねたことがあった。平吉と宿場まで干物《ひもの》を運んだ帰りに、ふと店の戸を開いた。暖簾《のれん》を出す前だというのに、お軽は手酌《てじゃく》で酒を呑んでいる。

「おや、珍しい人が来たよ」

お軽なりの気遣《きづか》いだ。優しい言葉をかけられたら、母親を遠ざけているお孝は後ろめたい気持ちに包まれる。

「ちょっと近くまで来たから」

お孝は、そのやりとりだけで立ち去ろうとした。もちろん、お軽は引き止めたりはしない。だが、背中を向けたお孝に――。

「あたしが死んだら、身のまわりの後始末《あとしまつ》だけは頼むよ。といっても箪笥ひとつしかないけどね……」

あのときから、父親のことを告げようとしていたに違いない。

おけら長屋《ながや》の大家《おおや》、徳兵衛《とくべえ》は三代前から大家を務める家に生まれた。大家は家主《やぬし》ある。

とも呼ばれているが、地主《じぬし》に雇われているもので、いわば、地主の代理人である。
おけら長屋の地主は、富岡八幡宮《とみおかはちまんぐう》の門前山本町《もんぜんやまもとちょう》で名高い料理屋、仲膳《なかぜん》の主人、文《ぶん》志郎《しろう》という男で、徳兵衛は、長屋の管理、店賃《たなちん》の集金、人別帳《にんべつちょう》などを任されてい
　大家の多くは世襲《せしゅう》で、店子《たなこ》に対しては一切の責任と権限を持っている。徳兵衛の父は、地主からの信頼が厚い人徳者で、おけら長屋の他にも、大家を任されていた。父から、おけら長屋の大家を引き継いだ――ある事情があって、他の長屋は手放してしまった――徳兵衛は、二十五歳のときに、お路《みち》という女と所帯《しょたい》を持ち、長男も生まれた。妻のお路は、生来身体《からだ》が弱く、徳兵衛と所帯を持って、十五年目に病死した。長男の由兵衛《よしべえ》は、大家という仕事に興味がなく、薬草の研究をするために甲州《こうしゅう》で暮らしている。徳兵衛も無理に大家を世襲させるつもりはない。家主株を売れば、静かに余生を送ることはできる。

　徳兵衛は久しぶりに、神田山下町《かんだやましたちょう》に住む従兄弟《いとこ》の喜久蔵《きくぞう》を訪ねた。喜久蔵は子《こ》福者《ぶくしゃ》で、息子が三人、娘が二人いる。徳兵衛は倅《せがれ》の由兵衛が、薬草の研究で身を立てることができるのであれば、喜久蔵の息子――次男か三男――を養子にもらい、大家を継がせてもよいと考えていた。

徳兵衛は、神田山下町から帰る道すがら、神田紺屋町《こんやちょう》の街角で小粋《こいき》な居酒屋を見つけ、暖簾を潜《くぐ》った。壁に貼られた品書きには「味噌田楽《みそでんがく》」「揚出《あげだ》し豆腐」「茶碗蒸し」など、気《き》の利いた料理が並んでいる。居酒屋にしては上等な店のようだ。

なかなか繁盛《はんじょう》しているようで、大方の席は埋まっている。徳兵衛は店の女が勧める席に腰を下ろし、酒と味噌田楽を注文した。前には、いかにも大店《おおだな》の主《あるじ》といった身形《みなり》の男が、手酌で呑んでいる。その男と目が合った。

「あなた、よくこの店に来るのですか」

温和とはいえない険《けん》のある口調《くちょう》だった。

「いえ、はじめてのことで」

その後の会話が続かない。しばらくすると徳兵衛の前に、酒と味噌田楽が置かれた。田楽は、焼き豆腐に二本の串を刺し、味噌を塗《ぬ》ってあぶったものだ。その男は店の女を呼びとめた。

「ちょっと待ちなさい。この方のと私の田楽とでは味噌の量が違う。この方の焼き豆腐には串のところまで、びっしりと味噌が塗られている。ところが私の豆腐はどうだ、豆腐の下の方には味噌がついていない。これで同じ金を払えというのか」

困った店の女が立ち尽くしていると、男は一本の箸《はし》で豆腐の大きさを測りだした。

「それだけではない。豆腐の大きさが違う」

男は自分の豆腐の長さを箸で測り、その場所を爪でおさえる。そして断りもなしに、徳兵衛の前にあった皿を取ると、豆腐にその箸を合わせた。

「ほら、この方の豆腐の方が明らかに大きい。お前さんも認めるだろ」

店の女は泣きそうな顔になる。

「あの、どうすれば……」

「もう客に出してしまったのだから仕方ない。私の勘定を少し安くしてくれればよい。店の主にそう言っておきなさい」

店の女は何も言わずに消えていった。

「おお、これは申し訳ない。これはあなたの田楽でしたな。お返しします」

男が皿を置くのを、徳兵衛は呆然《ぼうぜん》と眺めていた。

「あなた、私のことを吝《しわ》い屋《や》だと馬鹿《ばか》にしておられますな。細かいことにいちゃもんをつけて、江戸っ子の風上《かざかみ》に置けぬ男だと……」

徳兵衛は頭《かぶり》を振る。

「いえ、そのようなことは……」

「ごまかさんでもよろしい。ちゃんと顔に書いてあります。あっはっは。吝い屋、ケチ、しみったれは、私にとって、この上ない褒《ほ》め言葉ですからなあ」

旨《うま》そうな味噌田楽だと思ったが、そんな話を聞かされた後では、気持ちも半減する。

徳兵衛は小さな溜息《ためいき》をついた。

男は木田屋宗右衛門《きだやそうえもん》と名乗った。日本橋本町にある薬種問屋《やくしゅどんや》、木田屋の主だという。

「薬種問屋、木田屋さんといえば、たいへんな大店ではございませんか。その名は江戸どころか、日本中に知れ渡っていると聞きます」

木田屋宗右衛門は満更《まんざら》でもない様子だ。

「これは嬉《うれ》しいことを。一杯受けてくれますか」

宗右衛門が徳利《とくり》を差し出したので、徳兵衛は猪口《ちょこ》の酒を呑み干し、両手で酒を受けると猪口に口をつける。

「こ、これは、水ではありませんか」

「そうですが……。私は酒とはひと言も言っておりません」

宗右衛門の前には、徳利が二本並べてある。

「こっちの徳利には酒。こっちには水を入れてあります。水はもちろんタダです。水でも徳利に入れれば、少しは酒を呑んだような気になりますからな。そんなわけで人様に呑ませるとしたら、当然、水になります。あっはっは……」

　徳兵衛は言葉を失ったままだ。

「これは、この店の謀《はかりごと》にはまらないための方法でもあるのです」

「この店の謀……」

　宗右衛門は本物の酒を少し呑んだ。

「そうです。この店の料理は旨《うま》い。上等な昆布で出し汁を取っているのもその理由《わけ》ですが、一番の理由は味付けが濃いことです。なぜ濃いか、わかりますか」

「さあ……」

「お見受けしたところ、あなたは商人ではないようですな。なら、お教えしましょう。料理の味を濃くすると、酒の量が増えるからです。飯の量も増えますしな。料理屋の商いで一番儲《もう》けが大きいのは酒です。だから少しでも多く酒を呑ませようとして味を濃くする。酒は腐りませんから、大量に仕入れ、その分、値段を叩《たた》く。これは商いの鉄則ですな。それから味を濃くすることで、料理は腐りにくくなる。料理を腐らせて捨てるのは丸損ですからな。そんなわけで、私は店の謀にはまらないように、半分は水を飲むことにしているのです」

　徳兵衛は恐る恐る尋ねてみた。

「あの、お気に障《さわ》ったら申し訳ございませんが、そのようなことを考えながら料理や酒をいただいて、おいしいのでございましょうか」

「旨いですな。一文《もん》でも二文でも得をしたと思えば、こんなに旨いことはない」

不思議なことに嫌悪感《けんおかん》はなかった。むしろ清々《すがすが》しいとさえ思えた。

「味の話ですが、その逆もありますな。私の店では、奉公人《ほうこうにん》に出す食事の味は薄くしております。味噌汁などは、お椀の底が透《す》けて見えます。奉公人たちは『味噌風味のお湯だ』などと陰口をたたいているようですが、飯をたくさん食べられては、かないませんからな。あっはっは」

木田屋の奉公人たちのことを思うと気の毒になったが、この宗右衛門という男は、こうやって店を大きくしてきたのだ。照れも恥もないのは、己《おのれ》の信念に基づいてのことなのだろう。

「木田屋のご主人ともあろう人が、お供《とも》も連れずにお一人でおられるのは、やはり、お供の方にもお金がかかるからでしょうか」

宗右衛門は大声で笑った。

「話のわかるお方だ。あなたのお名前は……」

「私は、本所亀沢町《ほんじょかめざわちょう》にある、おけら長屋の大家で徳兵衛と申します」

「大家の徳兵衛さんですか。それでは改めて、私の酒を一杯受けていただきたい。今度は本物の酒ですから、ご安心を」

徳兵衛は酒を受けると、自分の酒を宗右衛門に注《つ》いだ。

「徳兵衛さん、確かに私は吝い屋です。ですがね、本当の吝い屋はこんなところで酒など呑みません。商家の主などというものは孤独なものです。奉公人や子供には、口うるさくして嫌われなければなりません。商いというのは恐ろしいものです。ほんの少しの気の緩《ゆる》みが、命取りになります。ですから私が店の者の手本となり、倹約に努め、奉公人や子供の心を引き締めなければならないのです」

徳兵衛は味噌田楽を食べながら――。

「木田屋さんほどの大店の主人は、商いなどは番頭《ばんとう》さん任せで、酒だ、妾《めかけ》だ、舟遊びだと、遊興三昧《ゆうきょうざんまい》の生活だと思っておりましたが、実のところは辛《つら》いものなのですなあ……」

宗右衛門は、少し声を落として、前に乗り出してきた。

「徳兵衛さん、あなた、長屋の大家だと言いましたな。薬種問屋、薬屋などにお知り合いはいらっしゃいますか」

「まったくおりません。薬に関わりがあるとすれば、口は悪いが腕はいい貧乏医者を一人知っているくらいで」

宗右衛門の表情が緩《ゆる》んできた。

「私はね、商いとはまったく縁のない方と知り合いたかったのです。徳兵衛さん、あなたこそ、私が求めていた人だ。どうです、これから柳橋《やなぎばし》あたりに繰《く》り出しませんか。料理屋で芸者でも揚《あ》げて騒ごうじゃありませんか。金のことは心配いりません。この木田屋宗右衛門にお任せください」

徳兵衛は慌《あわ》てる。

「いや、いまさっき知り合った方に、そのような……」

宗右衛門は聞く耳を持たない。

「ねえさん、お勘定を頼みます。こちらの方も一緒に。田楽の味噌はいくら引いてくれましたかな。二文は引かなきゃいけませんよ。あっ、それからね、徳兵衛さん、私は野田《のだ》の在にある酒蔵《さかぐら》の主で、宗兵衛《そうべえ》ということになっているので、よろしく頼みますよ。さあ、早く行きましょう。空模様が怪しくなってきました」

徳兵衛は背中を押されるようにして、居酒屋を出た。

湯屋《ゆや》の帰りに、夕立に降られた万造《まんぞう》と松吉《まつきち》は、松井町《まついちょう》の居酒屋で足留《あしど》めを食らっていた。

「こりゃ、止《や》みそうもねえな。松ちゃん、おめえ、こっちの具合はどうなんでえ」

万造は自分の腹を叩いた。

「減ってらあ。腹と背中がくっつきそうだぜ。今日は忙しくてよ。昼飯を食いっぱぐっちまったからな」

万造は、ずっこける。

「そうじゃねえよ。懐《ふところ》の具合はどうかって聞いてるんでえ」

「そっちか……。湯屋で使っちまったからな。あと十文ってとこだろ」

体勢を立て直した万造だが、またすぐにずっこける。

「それじゃ、徳利一本も呑めねえだろ。大の男がだらしねえな」

「面目《めんぼく》ねえ。万ちゃんは、いくら持ってるんでえ」

万造は両手を広げた。

「お、おめえも十文のくちか……」

「いや、握れるもんは何もねえ」

「い、一文無しってことかよ」

二人の前の卓には、徳利が二本と、メザシが置いてある。

「つまりよ、よくよくかんげえてみると、すでにこれも払えねえってことか」

「よくよくかんげえなくても、そういうことじゃねえか」

二人は同時に笑った。

「どっちみち払えねえなら、心置きなく呑んじまおうじゃねえか」

万造は酒と肴《さかな》を注文する。

「さてと、どうやって逃げるかだが……」

「もう、粗方《あらかた》の手は使っちまったからなあ」

「しおらしく、給金が出るまで待ってくれって言うしかねえな」

暖簾をはね上げて、店に飛び込んできたのは、おけら長屋の住人、左官《さかん》の八五郎《はちごろう》だ。

「なんでえ、おめえたちも来てたのか。まいったぜ、雨に降られちまってよ」

担《かつ》いでいた道具箱を脇に置いて、同じ席に座ろうとした八五郎だが、いつもと違う空気を感じとった。万松の二人は、神を崇《あが》めるような表情で八五郎を見つめている。そして万造は、目を閉じて手を合わせた。八五郎は立ち上がると、奥に向かって——。

「おーい。おれは奥の席に座るぜ。勘定は別々にしてくれ」

万造は八五郎の半纏《はんてん》の袖《そで》、松吉は裾《すそ》をつかまえた。

「は、八五郎さん、一緒に呑みましょう」

「そうですよ、八五郎親方。ご一緒させてください」

八五郎は二人の手を乱暴に振り解《ほど》く。

「おめえたち、オケラだろ。おれが来たことを、地獄《じごく》で仏《ほとけ》だと思っていやがるな」

万造はもう一度、半纏の袖をつかむ。

「地獄で仏だなんて、とんでもねえ。おれたちは八五郎さんのことを、飛んで火に入る夏の虫って思っただけで……」

「なら、いいんだけどよ」

殴《なぐ》られるかもしれないと思った松吉は、胸を撫《な》で下ろした。

次に暖簾をはね上げて、店に飛び込んできたのは、顔馴染《かおなじ》みの大工、寅吉《とらきち》だ。寅吉は肩についた雨粒《あまつぶ》を払いながら――。

「おう、万造に松吉。やっぱりここにいやがったか。山城橋《やましろばし》で女が行き倒れてやがる」

万造は八五郎の半纏の袖を放した。

「女の行き倒れだと。わけえのか」

「うーん、若くもねえが、ババアでもねえ」

「武家女《ぶけおんな》か、町人か」

「うーん、武家でもねえが、町人でもねえ」

「はっきりしねえ行き倒れだな。乙《おつ》な年増《としま》か、器量よしの町娘ってんなら助けもするがよ。おめえが見つけたんだから、おめえがなんとかしやがれ」

寅吉は、右手を腹にあて、臨月《りんげつ》の形を作る。

「カカアがこれでよ。産気《さんけ》づいたってえから、すっとんでけえる途中よ。後のことは頼んだぜえ」

寅吉は走り去る。その背中に罵声《ばせい》を浴びせる万造。

「て、てめえ、待ちやがれ。だれの子だかわかりゃしねえぞ。おれたちは知らねえからな」

松吉が小声で――。

「おい、万ちゃん。地獄で仏ってえのは、このことじゃねえのか」

少しばかり考えて、その意味を理解する万造。

「……、なんて言っちまったら江戸っ子の名折れだ。山城橋で行き倒れだそうだ。見捨てちゃおけねえ。ちょいと行ってくるぜ」

万松の二人は、徳利を鷲《わし》づかみにすると、酒を流し込み、メザシを懐にしまい、そのまま店を飛び出した。なぜか八五郎も一緒だ。

「なんでおれまで逃げなきゃならねえんだ。まだ何も呑み食いしてねえのによ」

女は六間堀《ろっけんぼり》に架《か》かる山城橋の東詰《ひがしづめ》で倒れていた。夕立は止みかけていたが、女の着物はズブ濡《ぬ》れで、まるで水を浴びたようだ。万造は女の上半身を起こし、肩を揺《ゆ》さ振《ぶ》った。

「おい、あんた。大丈夫か。おい」

女からの反応はない。松吉は女の顔を覗《のぞ》き込む。

「生きてるのか。こりゃ、行き倒れじゃなくて死に倒れだろ」

八五郎が松吉の頭をはたいた。

「洒落《しゃれ》を言ってる場合じゃねえ。どうなんでえ、万造」

「息はまだあるが、すげえ熱だ。すぐに聖庵堂《せいあんどう》に運ばなきゃなるめえ。松吉、そこの漬物屋から大八車《だいはちぐるま》を借りてこい。筵《むしろ》もだ。だれもいなかったら、勝手に持ってきちまえ」

「よし。承知の助《すけ》でえ」

「八五郎さんは、長屋に戻って女を連れてきてくれ。お里《さと》さん、お咲《さき》さん、お染《そめ》さん、だれでもいいや。女手が必要になるかもしれねえ。行くぜ、松吉」

こんなとき、万松の二人は素早い。山城橋から聖庵堂のある大工町《だいくまち》までは、林《はやし》町《ちょう》の角を右に曲がり、高橋《たかはし》を渡ればすぐだ。万造と松吉は、一直線に走った。

陽《ひ》はすっかり落ちて、聖庵堂の門は閉ざされている。万松の二人は大声を張り上げて、門を激しく叩いた。しばらくして出てきたのは、はじめて見る若い女だった。

「女の行き倒れだ。聖庵先生はいねえのか」

若い女は大八車の上で倒れ込んでいる女を横目で見ながら――。

「先生は出かけています。と、とにかく早く中に運んでください」

万松の二人は、女を布団の上に寝かせた。

「あ、あの、あんたは……」

女は、額《ひたい》に手を当てたり、脈をとったりしながら無愛想に答える。

「聖庵先生の助手で、お満《まん》といいます。そんなことはどうでもいい。あなた」

お満は鋭い目つきで万造を指差した。

「あなたは、奥に行ってお湯を沸《わ》かしてください」

「なるほど。熱燗《あつかん》でいっぺえやるのか。あんたもいける口かい」

「こんなときに酒を呑む人がいますか。この人の身体を温めるのに使うんです。あなた」

次に指を差されたのは松吉だ。

「あなたは、隣の部屋にある火鉢《ひばち》に火を熾《お》こして、ここに運んでください」

「えっ、なんでおれの懐にメザシがあるのを知ってやがるんだ」

「なんですか、そのメザシっていうのは。部屋を暖めるんです。早くしてください。ぐずぐずしないで」

万松の二人は、それぞれの持ち場に走った。なぜこんなことをしているのか腑《ふ》に落ちないが、行き掛かり上、仕方ない。

「お湯が沸いたら、手拭《てぬぐ》いを絞ってどんどん持ってきて。冷えた身体を温めますから」

聖庵堂に駆けつけてきたのは、八五郎とお染の二人だ。

「とりあえず、お染さんがいたから連れてきたぜ」

お満は、お染を見て――。

「お染さんというんですか。この人の着物を脱《ぬ》がせますから、手伝ってください。男の人は出ていって」

万造は口を尖《とが》らす。

「湯を沸かせだの、火を熾こせだの、出ていけだのと、勝手な野郎だぜ」

「私は野郎ではありません。あなたは温めた手拭いを、お染さんに渡してください。それから、あなた、火鉢の用意はできたのですか」

八五郎は、抜き足で立ち去ろうとしたが、お満に見つかり、その場で固まる。

「あなた……。あなたは何もしなくて結構です」

八五郎は前のめりに倒れた。

半刻《はんとき》（一時間）ほどで聖庵が戻った。病室から出てきた聖庵が――。

「なんだ、万造に松吉……。おけら長屋の連中じゃないか。あの人はお前たちの知り合いか」

万松の二人は、廊下でヘタり込んでいる。

「冗談じゃありませんぜ。おれたちは行き倒れになった女を運んできただけで。そしたら、あの女先生が……。まったく人使いがあれえったらありゃしねえ」

聖庵は、ひと笑いすると、額の汗を拭っているお満の方を向いた。

「見事な処置だったぞ。体温が下がると危険だからな。疲労で身体が弱っていたところを夕立に降られた。もともと風邪《かぜ》を引いていたようだな。息が苦しそうだ」

八五郎が聖庵に尋ねる。

「先生、あの女は助かるんですかい」

「お満の処置がよかったから大丈夫だろう。それじゃ、経緯《いきさつ》を話してもらおうか」

説明するのは松吉の役目だ。

「へえ。松井町の居酒屋で呑んでたら、ちょうど、いい具合に山城橋で女の行き倒れだってえから駆けつけましてね……」

「なんだ、その、ちょうど、いい具合にっていうのは」

「えっ、いや、それはこっちの話で」

「そのときには、もう意識はなかったのか」

「へえ。仕方ねえから、拾ってきたような塩梅《あんばい》で……」

お満の目つきが鋭くなる。

「なんですか、拾ってきたとは。人は物ではありません」

万造が、お満を無視して割って入る。

「先生、なんですか、この女は。人にあれこれ指図《さしず》しやがって、礼も言やあしねえ。まったくふざけた野郎だぜ」

お満も黙ってはいない。

「ですから、私は野郎ではありません。人の命がかかっているときに、手助けをするのは当たり前です。それなのに礼を言えだなんて、江戸っ子が聞いて呆《あき》れるわ」

「なんだと、この野郎……、じゃねえ、このアマ。口の減らねえ女だ」

病室の扉が開き、お染が顔を出す。

「ちょっと、静かにしておくれよ。中には病人がいるんだからね」

万造とお満は、首をすくめた。

「この女は、お満といってな。ふた月ほど前に、ワシの弟子《でし》になりたいと押しかけてきた。断ったのだが、勝手に離れに住みつきよった。だが、医術を学ぶ姿勢は立派なものでな、しばらく置いてみることにした。お満、この連中は、本所界隈《かいわい》じゃ知らない者はいないという、おけら長屋の連中だ」

お満は、いかにも嫌そうに一礼した。

「ところで、あの人の身元がわからないのは困ったな」

万松の二人は同時に腕組みをする。

「江戸もんじゃねえな。脚絆《きゃはん》に草履《ぞうり》だったから、どこからか歩いてきたんでしょう」

「江戸のはずれの行商人だと思いますがね」

お満が女の着物を調べている。

「紙入れには小銭が入っているだけです。この帳面は……、江戸の地図ですね。雨に濡れてボロボロになっています。他には何もありません」

聖庵は軽く手を叩いた。

「いずれにせよ、意識が戻ればわかることだ。とにかく今回は、万松のお手柄《てがら》だ。お前たちがいなければ、命を落としたかもしれんからな。ご苦労だった。あの人のことが気になるだろうが、ここにいても仕方あるまい。また明日にでも様子を見に来ればよい」

八五郎、万造、松吉、お染の四人は、真っ暗になった道を、おけら長屋に向かって歩いた。

「なんだか、どっと疲れましたね」

松吉の言葉に全員が無言で同意する。大八車を漬物屋に返し、竪川《たてかわ》に沿って右に曲がると、暗闇《くらやみ》の中に人影が見える。

「お帰りなさいまし。必ずここを通ると思ってたんで」

それは、居酒屋の主人だった。

翌朝になり、女が目を開いた。

「ここはどこですか……」

お満は身を乗りだした。

「気づきましたか。先生を呼んできますから、そのままにしていてください」

欠伸《あくび》をしながらやってきた聖庵は、女の額に手を当て、脈をとった。

「あの、ここは……」

「熱も下がってきたし、どうやら峠《とうげ》は越えたようだな。あんたがここに運ばれてきた経緯は、このお満に聞けばよい。少しくらいなら話をしても大丈夫だろう。お満、何かあれば呼んでくれ」

お満は、聖庵に一礼すると、寝ている女の横に座った。

「あなたにも尋ねたいことがたくさんあると思うけど、こちらから先に尋ねさせてくださいね。まず、あなたの名前は……」

「お孝といいます」

「お孝さんですね」

お満は、名前を繰り返して、帳面に書きとめる。

「どこに住んでいるのですか。どこから来たのかと聞いた方がいいかな」

「藤沢です」

「藤沢っていうと……」

「鎌倉《かまくら》に近い海辺の町です」

お満は帳面に書き込みながら——。

「お孝さんが倒れていたのはね、六間堀の山城橋というところ。昨日の夕刻のことです。どうして、そこに倒れていたのか、覚えているところまででいいですから、話してくれませんか」

お孝は目を閉じた。頭の中で整理しているのだろう。

「わたしは藤沢で海産物屋を営んでいる平吉の女房です。江戸に行商に行くため、商い仲間三人と、まだ夜が明ける前に藤沢を発《た》ち、江戸に着いたのが、八ツ半（午後三時）過ぎでした」

「途中で何か食べましたか」

「蕎麦《そば》を少し……。二、三日前から風邪気味だったので、あまり食欲がありませんでした」

「それなのに、藤沢から歩いてきたんですか」

お孝は、しばらく黙っていたが——。

「実を言うと、私は行商で江戸に来たのではありません。ちょっと江戸に用があったので、行商の人たちに交ぜてもらいました。江戸ははじめてだったものですから」

お孝は大きく息を吸い込んだ。

「大丈夫ですか。辛くはありませんか」

「大丈夫です。連れの者たちとは、茅場町《かやばちょう》の宿で別れ、私は一人で両国《りょうごく》に行くことになりましたが、はじめての江戸で道に迷ってしまい、おまけに雨に降られて……。身体が怠《だる》くなって、目眩《めまい》がして……」

お満は、お孝の話を書き取っている。

「あの、ここはどこですか……」

「両国の少し南、大工町にある聖庵堂という治療院です。お孝さんは、山城橋で倒れていたところを、この聖庵堂に運ばれてきたんですよ」

「そうだったんですか。とんだご迷惑をおかけしました」

頃合を見計らったのか、聖庵が入ってきた。

「それくらいにしておこう。まだこの人に無理をさせるわけにはいかん」

お孝は起き上がろうとするが、お満に制された。

「私は、もう大丈夫です。それに払うお金がありません」

聖庵は少しきつい口調になった。

「あんたには、まだ二、三日の安静が必要だ。金のことは心配せんでいい。まずは自《みずか》らの命のことを第一に考えなさい」

「先生、この人は藤沢から歩いてきたそうです」

聖庵は小さな声で唸《うな》る。

「藤沢か……。藤沢まで歩いて帰るには、半月ほど静養しなきゃならん。まずは病《やまい》を治し、体力をつけることだ」

お孝は不安そうな表情になる。

「茅場町の宿にいる連れに連絡しなければ。昨夜、私が戻らなかったので心配していると思います」

「わかった。後でウチの小僧を走らせよう。とにかく、あんたは病を治すことだけを考えなさい」

一度、背を向けて歩きかけた聖庵だが、立ち止まって振り向いた。

「そうそう。あんたを助けて、ここに運んできたのは、亀沢町にあるおけら長屋の連中だ。あの連中がいなければ、あんたは命を落としていたかもしれん。お節介《せっかい》で物好きな連中だから、夜にでも押しかけてくるだろう」

お孝は、呑み込むように、その言葉を繰り返した。

「亀沢町の、おけら長屋……」

「そうだ。せいぜい礼を言っておくんだな」

おけら長屋では、昨夜の行き倒れがすでに知れ渡っている……、と思いきや、別の話題で盛り上がっていた。ネタを仕入れてきたのは、畳《たたみ》職人の喜四郎《きしろう》だ。井戸端でその話を聞いているのは、万造、松吉、八五郎と女房のお里、お染、そして島田鉄斎《だてつさい》の六人だ。

「そりゃ、間違いなく大家だったんだろうな」

八五郎の問いかけに、喜四郎は唾《つば》を飛ばす。

「あたりめえでしょう。酒も呑んでねえのに、てめえの住んでる長屋の大家を見まちげえるわけがねえ。徳兵衛さんですよ」

昨日、柳橋の料亭「入舟《いりふね》」に、畳の張り替えに行った喜四郎が見たのは……。

「あっしが畳を張り替えたのは、奥の客間でね、その横にある二十畳の座敷《ざしき》が、入舟の中じゃ、一番贅沢《ぜいたく》な造りなんで。この座敷の畳も、このめえ、あっしが張り替えたんで、よーく知ってるんですよ。その座敷で、まだ陽も落ちねえうちから、ドンチャン騒ぎをやらかしてる不届き者がいましてね。襖《ふすま》が少し開いてたんで、ちょいと中を覗いたら、そりゃもうたいへんなお大尽遊《だいじんあそ》びで。客は二人のくせしやがって、三味線《しゃみせん》、太鼓《たいこ》、鼓《つづみ》に笛なんていう鳴り物を並べましてね。幇間《たいこもち》が二人、芸者なんざ何人いるかわからねえ。呑めや歌えやの大騒ぎってえのは、ああいうのを言うんでしょうね。柳橋の綺麗《きれい》どころと、組《く》んず解《ほぐ》れつってやつで。世の中には景気のいい野郎がいるなあと、一人の客を見ると、なるほど大店の主って形《なり》をしてやがる。その横で、両脇から芸者に支えられるようにして踊っていた爺《じじい》の顔を見て、ぶったまげました。大家の徳兵衛さんじゃねえですか」

万造は興奮を抑えるためか、もう一度、井戸で顔を洗った。

「大家の野郎、おれたちに隠れて、そんな豪勢な遊びをしてやがったのか。これで溜《た》めた店賃は帳消しだな」

松吉が万造をなだめる。

「待てよ、万ちゃん。大家に文句を言うよりも、その仲間に入れてもらえる算段をした方が、おれは利口《りこう》だと思うぜ」

八五郎がポンと手を打った。

「それだ。おれは松吉に乗った」

お里の肘鉄《ひじてつ》を食らった八五郎は、脇腹をおさえて顔をしかめる。それを見た島田鉄斎は笑いながら鼻の頭を掻《か》く。

「それよりも相手が気になるな。それだけ派手にやったとなれば、三両五両では済むまい」

お染も首を傾《かし》げる。

「廻船《かいせん》問屋の東州屋《とうしゅうや》善次郎《ぜんじろう》さんじゃありませんか。ほら、碁会所《ごかいしょ》仲間の……」

「いや、私も何度か東州屋さんに馳走《ちそう》になったことがあるが、そんな遊びをする人ではないな」

一同が沈黙したところで、突き当たりにある家の引き戸が開いた。大家の徳兵衛宅である。外に出てきた徳兵衛は右手でこめかみをおさえている。喜四郎の話からつなぎ合わせると、二日酔《ふつかよ》いなのは歴然だ。足を引きずるようにして井戸に近づいてくる。

「おや、どうしたんだい。朝っぱらからこんなところに集まって」

「いや。顔を洗おうと思ったら出くわしちまいましてね。なあ、みんな」

一同は作り笑いを浮かべて頷《うなず》く。八五郎は喜四郎に鋭い目つきで「探れ」と合図を送る。

「お、大家さん、具合でも悪いんですかい」

「ああ。ちょっと頭が痛くてね」

お染が割って入る。

「風邪かしらね。熱はあるんですか」

「いや、直《じき》に治るから大丈夫だよ」

徳兵衛は井戸の水で顔を洗いだした。万造と松吉が態《わざ》とらしい会話をはじめると、一同は徳兵衛の反応に注目する。

「松ちゃんよ、おめえ、新しい客をつかめえて店の旦那《だんな》に褒められたんだってな。どんな客なんだ」

「柳橋の料理屋だ」

顔を洗っていた徳兵衛の手が止まった。

「柳橋の料理屋だと。乙なところじゃねえか」

「ああ、入舟って老舗《しにせ》の料亭があってよ、その裏にある小さな料理屋だ」

今度は徳兵衛の耳が動いた。

「入舟っていやあ、一人三両は下らねえっていう高級な店だろ。一度でいいからそんな料亭でよ、芸者幇間を揚げて騒いでみてえもんだな」

徳兵衛の全身は固まった。しばらくして徳兵衛が上半身を起こし、手拭いで顔を拭《ふ》く。あたりには不自然な空気が流れている。徳兵衛は一度、咳払《せきばら》いをすると――。

「風の噂《うわさ》じゃ、行き倒れの女を聖庵堂に運んだそうだな。最後まで面倒をみてやりなさいよ」

徳兵衛は、また右手でこめかみをおさえながら消えていった。

病状が安定したお孝は、午後になると聖庵堂の離れに移っていた。そこへ、お満が粥《かゆ》を運んでくる。お満は、お孝の上半身を起こし、粥が載った盆を布団の上に置いた。

「さあ、少しでも食べないと。ゆっくりとでいいんですよ」

お孝は、サジの上の粥を啜《すす》るようにして食べた。快復に向かっているお孝を見て、お満は安堵した。医者にとっては一番幸せな時間かもしれない。

「お孝さんは、江戸にどんな用事があったんです？」

お孝は伏《ふ》し目《め》がちになった。

「ごめんなさい。立ち入ったことを聞いて」

目線を戻したお孝がいきなり――。

「お満さんのおとっつぁんって、どんな人ですか」

いきなりの質問に、お満はまごつく。

「どんな人って聞かれても……」

「やっぱりお医者様なの？　それともお武家様……」

「どうして、そんなことを聞くんですか？」

「ごめんなさいね。私には父親がいないから、ちょっと聞いてみたくなって」

「亡くなられたの？」

「いえ、生まれたときからいないんです。父親がだれかもわからない。私はおっかさんに育てられたから」

細かい事情は聞きにくい話だ。

「娘にとって、父親ってどんなものなの」

お満は顔をしかめた。

「困ったなあ……、こんな話をするなんて。私のおとっつぁんは商人でね、私とは犬猿《けんえん》の仲。子供のころから喧嘩《けんか》ばかりで。だって私のすることに文句ばかり言うから。私は小さいころから学問が好きだった。なのに、おとっつぁんは、女に学問なんて必要ないって、お花や、お茶を習わせようとする。ごめんなさい。もっと優しい父親の話が聞きたいですよね。でも嘘《うそ》はつけないから……。ごめんなさい」

お孝は首を横に振る。

「いいの。続けてください。もっと、お満さんのおとっつぁんの話が聞きたい」

お満は話を続けた。

「私は日本橋本町にある薬種問屋の娘でね。私の口から言うのもなんだけど、大店なの。だからなんの不自由もなく育ちました。それには感謝してます。でも、おとっつぁんの商いはお金を儲けることだけ。とことんお金に執着《しゅうちゃく》する。薬は人の命を助けるものでしょ。それを金儲けの道具にするなんて許せないんです。十七歳のとき、医者になりたいって言ったら、いきなり平手《ひらて》打《う》ちされた。『世の中の厳しさも知らないくせに、偉そうなことを言うな』って。私はそのとき、絶対に医者になってやるって誓ったんです。おとっつぁんが金儲けをして人を苦しめた分、私は困っている人を助けるんだって。だから独学だけど、懸命に勉強してるんです」

　お孝は黙って話を聞いている。

「稲荷町《いなりちょう》に貧乏人ばかりを相手にする医者がいてね。治療代を払えない患者ばかりだから、その医者も薬を仕入れることができない。おとっつぁんは、その治療院に薬を卸《おろ》さなかった。『そんなに金儲けが大事なの』って、私はおとっつぁんに食ってかかった。だけど『商いに口を出すな』で終わり。私は家を出ることにしました。幸いなことに、私には兄と弟がいて、それにウチの番頭さんも、裏では私の味方になってくれてね。商いが薬種問屋だから医者とのつながりがある。兄や番頭さんが調べてくれたんだけど、大工町に聖庵先生という医者がいて、腕は確かで、貧乏人も分け隔《へだ》てなく診《み》てくれる名医だって。だからここに押しかけてきて無理矢理だったけど助手にしてもらったの。ここは小さな治療院だけど、聖庵先生は、医術、人物ともに素晴《すば》らしい方です。私もここで勉強させてもらい、聖庵先生のような立派な医者になりたい。そして必ず、おとっつぁんを見返してやるんです」

お満は思いのほか、興奮して話している自分に気づいた。お孝はしばらく天井《てんじょう》を見つめていたが――。

「お満さんのおとっつぁんは、本当にお満さんが思っているような人なんでしょうか。私には父親がいないからよくわからないけど、父親って年頃の娘がやりたいことには反対するんじゃないかな。どこの父親も、お満さんのおとっつぁんと同じことを言うと思う。だって、娘に苦労させたくないから。私におとっつぁんがいたら、『これをやっちゃ駄目だ、あれをやっちゃ駄目だ』って叱《しか》られたかった。だって大切にされてる証拠だもの。お満さんが間違えてるなんて言ってませんよ。医者になって世の中の人の役に立ちたいって、その道を歩んでいるお満さんは本当に立派だと思います。でも、お満さんのおとっつぁんも間違えていない気がする。だって、お満さんのことが心配なんだから」

お満は思う。自らの意志を貫くのと、わがままは紙一重《かみひとえ》だ。でも自分の生き方は間違えていないはずだ。お満にはその自信があった。

夕刻になり、聖庵堂にやってきたのは、万造、松吉、八五郎、お染、島田鉄斎の五人だ。もちろん、お孝を見舞うためである。鉄斎だけは、大家の徳兵衛から、頼まれごとをされている。

「あの連中だけでは心配です。申し訳ありませんが、様子を見てきてくれませんか」

まだこめかみをおさえている徳兵衛だ。

お満は、お孝が寝ている部屋に五人を案内するが、口調は刺々《とげとげ》しい。

「ここは治療院ですから、大きな声を出さないでくださいね」

さっそく万造が反応する。

「相変わらず愛想のねえ野郎だな。わかってらあ、『私は野郎ではありません』って言い返すんだろ」

お満は鼻から息を吐《は》いた。お染が尋ねる。

「あの女の人はどうなりましたか」

「朝には気がつきました。先生も、もう大丈夫だとおっしゃってます」

「そりゃよかったじゃねえか」

八五郎が大声で言うと、万造がお満の口調を真似《まね》して茶化《ちゃか》す。

「ここは治療院ですから、大きな声を出さないでくださいね」

お満は、大きく鼻から息を吐いた。

離れでは、ちょうど聖庵の診察が終わったところだ。

「おお、来たな。お孝さん、あんたをここまで運んでくれた、おけら長屋の連中だ。薬よりも効《き》くぞ。病気が嫌がって逃げていくからな」

聖庵は大笑いすると、五人をお孝の横に座らせた。お満は、お孝の上半身を起こした。

「お孝と申します。お世話になったそうで、ありがとうございました」

「それだけ喋《しゃべ》れりゃ安心だ。一時はどうなることかって思ったけどよ」

八五郎は大声で笑ったが、お満に睨《にら》まれ背中を丸くした。

「この二人が、あんたをここまで運んできた万造と松吉だ。この二人がいなければ、あんたは命を落としていたかもしれんぞ」

万造は少し照れながら――。

「お身体の方は、その……、臭《くさ》くはありませんか。漬物屋の大八車で運んじまったんで、沢庵《たくあん》臭くなったんじゃねえかと……」

「馬鹿か、おめえは。そんなことは言わなきゃわからねえだろ。もっと気の利いた見舞いを言えねえのかよ」

「だったら、松ちゃんが言えよ」

「えー。この度《たび》は、まことにおめでとうございます」

「祝言《しゅうげん》の席じゃねんだぞ。八五郎さん、手本を見せてやっちゃもらえませんか」

八五郎は正座し直した。

「そ、それでは、おけら長屋を代表して、お見舞いの言葉を述べさせていただきます。ほ、本日は、お日柄もよく、このような、しめやかな……、その……、心よりお悔やみ申し上げます」

「そりゃ、弔いじゃねえかよ」

お孝は、口に手をあてて笑いを堪《こら》えた。

「あはは。この連中の気持ちだけは、お孝さんに伝わっただろ。ところでな、おけら長屋のみんなに頼みがあってな……」

ここで聖庵は、心持ち真面目《まじめ》な表情になった。

「このお孝さんは、あと十日ばかり静養をしなければならない。特別な治療が必要なわけじゃない。身体を休めて体力を回復させるためだ。ただ、ここは急な患者用の部屋でな。いつまでもお孝さんを置いておくわけにはいかんのだ。お染さん、確か、あんたは一人暮らしだったな。十日ほど、この人を置いてやっちゃもらえないか。今、お孝さんにもその話をしたところだ。お孝さんは納得してくれた」

お染は、おけら長屋の連中の顔を見回した。

「あたしは構いませんよ。困ったときはお互いさまっていうのが、おけら長屋の決まりですからね。でも、大家さんがなんて言うか……」

聖庵は、いきなり万松の二人を睨みつけた。

「万造に松吉。このお孝さんは治療代を持っていないそうだ。となると……。この人をここに運んできたのはお前たちだ。お前たちに払ってもらうことになる。高いぞ。ワシは因業《いんごう》医者だからな。この人をおけら長屋に置いてくれるなら、治療代はタダにする。お前たち二人が徳兵衛さんを説得しなさい。でないと……」

「わ、わかりましたよ。まったく、ひでえ医者だ。こっちにお鉢が回ってくるとは思わなかったぜ」

一同が大笑いした。

帰り際、聖庵が島田鉄斎を呼び止めた。

「島田さん、ちょっとこちらに……」

鉄斎はみんなを遣《や》り過ごしてから、聖庵の側に寄った。

「あのお孝という女だが、今朝《けさ》、ワシがおけら長屋の名を出したとき、明らかに目つきが変わった。おけら長屋と何か関わりがあるのかもしれん。ちょっと気にかけておいてほしい」

「それで聖庵先生は、あの女をおけら長屋に……」

聖庵は、小さく頷いた。

二日後に、お孝はおけら長屋にやってきた。もとより、お節介が三度の飯より好きな連中である。入れ代わり立ち代わり、お染の家を訪ねてくる。まずは、おかみさん連中だ。

「八五郎の女房で、お里といいます。食事はあたしと、このお咲さんが作って運びますからね。いいんですよ、気にしなくて。おけら長屋の女は気が利かないなんて言われたら、首くくりもんですから。ねえ、お咲さん」

「そうですよ。聖庵先生からも、精のつくものを食べさせるように言われてますんで。っていってもロクなものはありゃしませんけどね。それで、この人がお奈津《なつ》さん。あんたは何をやるんだっけ」

「あたしは洗濯です。遠慮しないで、なんでも出してくださいね」

　お染はむくれる。

「ちょっと待ってよ。それじゃ、あたしのやることがなくなるじゃないの」

「お染さん一人に、おいしいところを持っていかれたんじゃ悔しいからね。こういうことは手分けしてやらないと」

　そこにやってきたのは、隠居《いんきょ》の与兵衛《よへえ》だ。

「これは少ないがな、私からの見舞いだ。なあに、たいして入っとりゃせん。気持ちだから受け取ってください」

　今度は魚屋の辰次《たつじ》だ。

「ちはー。魚辰《うおたつ》です。活《い》きのいいアジがへえりましたんで。刺身でも、焼いででも抜群でさあ。ここに置いときますんで」

お孝は一人一人に挨拶《あいさつ》せねばならず、お染は溜息をつく。

「これじゃ身体を休めるどころか、却《かえ》って疲れちまうよ。もういいから、みんな出ていっておくれよ」

騒ぎが落ち着いたころに、やってきたのは大家の徳兵衛だ。

「お孝さん、こちらがおけら長屋の大家さんだよ」

お孝は慌てて姿勢を正した。

「どうぞそのままで。大家の徳兵衛と申します。騒がしくて驚いたでしょう。まったく聖庵先生も何を考えているのか。この長屋で静養などできるわけがない。私などはここで暮らすだけで病気になりそうだというのにね」

お孝は深々と頭を下げる。

「お孝と申します。この度は、ご迷惑をかけて申し訳ありません。みなさんの親切に甘えさせていただくことになりました」

お染がお茶を淹《い》れたので、徳兵衛は座敷に上がった。

「お染さん。お孝さんは寝てなくてもいいのかね」

「ええ。聖庵先生が言うには、無理さえしなければ普段通りの生活をしてよいそうです。歩くことも大切だって。今日は湯屋に行く前に回向院《えこういん》にでも寄ってみようかと思ってます」

「そりゃいい考えだ。ところでお孝さん。あんた、藤沢から来たそうだが、一緒に出てきた人たちとは連絡がついたのかね」

「はい。聖庵先生が宿に使いを出してくれまして。二日前に聖庵堂に来てくれました」

「その方たちも驚いたでしょうな」

「ええ。私が倒れて宿に帰らなかったものですから。でも訳《わけ》を知って、安心して藤沢に帰りました」

徳兵衛はゆっくりとお茶を飲んだ。

「それで、あなたはこれからどうするつもりですか」

「十日ほどこちらでお世話になり、聖庵先生からのお許しをいただいたら藤沢に帰るつもりでいます」

「そうですか。早くその日がくればいいですな」

徳兵衛は不思議な感覚を抱いていた。このお孝という女と話をしていると懐かしさを感じるからだ。

「お孝さん、あなた、江戸に来るのははじめてですか」

お孝は小さく「はい」と返事をした。

突然に徳兵衛の家を訪ねてきたのは、木田屋宗右衛門である。徳兵衛は表を確認して、素早く宗右衛門を家に引き込んだ。

「だ、だれにも会いませんでしたか」

「何を慌てているんです」

「この前、宗右衛門さんと柳橋の料亭に行ったのを、この長屋の連中に見られた節《ふし》がありましてな……」

宗右衛門の脳裏には、あのドンチャン騒ぎがよぎったのか、ニンマリしている。

「べつに悪いことをしたわけではないでしょう」

「これは、宗右衛門さんの言葉とは思えませんな。あなただって、あの騒ぎを、お店の番頭さんや奉公人たちに見られたら、どうなります」

「そ、それは一大事、この世の終わりです」

「そうでしょう。私も同じことです。それで、だれかに会いませんでしたか」

「会いました。そこの井戸で。徳兵衛さんのお宅はどこかと尋ねたので……」

「そ、それは男ですか、女ですか」

「女です。突き当たりが徳兵衛さんの家だと思います、と教えてくれました」

徳兵衛は胸を撫で下ろした。「家だと思う」と教えたのなら、長屋の者ではない。お孝だろう。万造、松吉、八五郎という最悪な連中でなかったのは幸運だ。

宗右衛門は座敷に上がると、持っていた風呂敷《ふろしき》包みの結び目を解《と》く。出てきたのは大きな徳利と重箱《じゅうばこ》だ。

「また、このようなものを。まだ昼間ですぞ。そうか、もしかして、また水ですか」

宗右衛門は笑いを堪える。

「心配ご無用。本物ですぞ。燗冷《かんざ》ましの酒を安くしてもらいましてな。酒など、酔えばどれも同じです」

宗右衛門は重箱の蓋《ふた》を開けると、鼻を近づけてにおいを嗅《か》ぐ。

「まだ腐ってはおりませんな。出入りの仕出し屋から、昨日売れ残った料理をタダ同然で買い取りました。生物《なまもの》はありませんから大丈夫でしょう。さあ、やりましょう」

宗右衛門は徳兵衛の反応などお構いなしで酒を注ぐ。もう観念するしかない。

「この前は楽しかったですなあ。それも、徳兵衛さんという友ができたからです。今日も、自然とこちらに足が向いてしまいました」

徳兵衛は、重箱の料理に箸を伸ばしたが、昨日の料理だと思い出し、箸を戻した。

「たいへんな散財をおかけしました。私にあのような遊びは、とてもできるものではありません。羨《うらや》ましいですな。お金があるのに吝い屋というのは、ひとつの道楽です。私にはそうみえます。なんとも乙な楽しみではありませんか」

宗右衛門は猪口を置くと、部屋の中を見回した。

「ところで、徳兵衛さんは一人暮らしですか」

「ええ、家内は亡くなりました。もう十三年にもなりますかな」

「お子さんは……」

「倅《せがれ》が一人おりますが、大家の仕事には興味がないようで、嫁と甲州で暮らしています」

「寂しくはありませんか」

「もう慣れました。それに、この長屋の連中が身内のようなものですから」

「そうですか……。息子さんは甲州で何をしているのですか」

「宗右衛門さんの商いと関係があるのですが、薬草の研究をしたいなどと言い出しまして甲州に行きました。四年ほど前のことです。博打《ばくち》打ちになりたいというわけでもなし、好きなことをすればよいと言ってやりました」

「ほう、薬草の研究を……」

「私の女房は身体が弱く、三十八で亡くなりましたが、晩年は床《とこ》に臥《ふ》せたままでした。唐土《もろこし》の国には強壮に効く薬草がたくさんあるそうです。倅は、そんな薬草があれば、母親はもう少し生きることができたと思っているのかもしれませんなあ……」

宗右衛門は、両手で大きな徳利を持つと、徳兵衛の湯呑み茶碗に酒を注いだ。

「猪口にいちいち注ぐのは面倒ですからな。しかし徳兵衛さんは心が広い。子供の背中を押してやることは、なかなか難しいものです。私などは、とてもとても……」

「それはね、宗右衛門さん。私には守るものがないからですよ。木田屋さんほどの身代《しんだい》があれば当然のことです。子供に商いの厳しさを学ばせ、代々にわたり身代を守っていくということは、奉公人や、木田屋さんに関わるすべての人のためでもあるわけですから」

話を聞いている宗右衛門の表情は冴《さ》えない。明らかに何か悩みを抱えている様子だ。

「宗右衛門さん、何か心配事でも……」

「友というのは、ありがたいものですなあ。今までこんな話はだれともできなかった。なのに徳兵衛さんには不思議と話せる。まだ知り合って日も浅いというのに。

私には子供が三人おりましてな。男二人は木田屋の商いをしておりますので問題ないのですが、困っているのは娘です。小さなころから跳ね返《はかえ》りで、ことごとく私に逆《さか》らう始末で。稽古事でもして嫁にいけばいいものを、見合いは断る、私の商売には口を出す。医者になって世の中の役に立ちたいなどと言い出しまして。世間知らずの小娘に何ができるんですか。ふた月ほど前に、私と些細《ささい》なことから口論となり、家を飛び出してそれっきりです」

吐き捨てるような口調は、娘を罵倒《ばとう》しているのではない。心配で堪《たま》らないのだろう。徳兵衛にはそれが手に取るように伝わった。

「医者になりたいという志《こころざし》は立派だと思いますが……」

「志と実《じつ》は違います。医者というのは人の生き死にに立ち会うのです。患者は年老いた者だけではありません。子供だって命を落とすことがある。あんな世間知らずで、なんの苦労も知らない娘が、そんな重さに耐えられるはずがない。結局は逃げ出すことになるんです。そして自信を失くし、傷つく。私は、娘にそんな思いをさせたくないのです。徳兵衛さん、私は親として間違っていますか」

徳兵衛は、宗右衛門に酒を勧める。宗右衛門は促《うなが》されるように酒を呑んだ。

「娘というのは厄介《やっかい》なものらしいですな。私には娘がおりませんのでよくわかりませんが……。宗右衛門さんは、娘さんの考えや行いを認めないと言っているようですが、実は違う。独り立ちしようとしている娘さんと、どうやって向き合えばいいのか、わからないのでしょう。宗右衛門さんの悩みは、娘さんのことではない。ご自身のことではないのですかな。偉そうなことを申して、お気に障《さわ》ったら許してください」

宗右衛門は、さめざめと泣きだした。

「徳兵衛さんのおっしゃる通りです。私はただ、娘がかわいいだけなんです。かわいくて仕方ないんです。ただそれだけなんです……」

だれにでも弱点はある。ケチで頑固で分限者《ぶげんしゃ》である木田屋宗右衛門の唯一の弱点が娘だと思うと、なおさら宗右衛門のことが好きになってくる。

「さあ、宗右衛門さん、今日は呑みましょう」

酒盛りは続いたが、結局、二人とも料理には箸をつけなかった。

お孝がおけら長屋に来て四日目の夜、お染の家を訪ねてきたのは島田鉄斎だ。もちろんお染の家には、お孝がいる。

「あら、島田の旦那、こんな時分にお珍しいですね」

「ああ。道場の稽古《けいこ》で怪我《けが》をした者がいてな。聖庵堂に連れていったら、お孝さんの具合を聞いてこいと頼まれた」

「お茶でも淹れますから」

「聖庵先生にですか」

「そうだ」

お染は立ち上がる。

「立ち話もなんですから、上がってくださいな。お茶でも淹れますから」

「いいのかな……」

「ええ。湯屋にも行って、夕食も済みました。お孝さんと、お饅頭《まんじゅう》でも食べようかって話してたとこですから。ちゃんと旦那の分もありますからね」

「それじゃ、遠慮せずにいただくとするか」

鉄斎は腰から刀を抜くと、座敷に上がった。お孝は緊張した様子だ。武家と接する機会など滅多《めった》になかったのだろう。

「お孝さん、気を遣わなくていいんですよ。島田の旦那は、武家も町人も関係ない人だから」

「でも、私のような者が……」

「だから言ったでしょ。このおけら長屋じゃ武家も町人もないって。みんな同じ、ただの貧乏人ってこと。そうですよね、旦那」

「ああ、そういうことだ。それに武家とはいっても、その日暮らしの浪人だからな」

お染は、ひと笑いすると声を落とした。

「旦那、呑んじまおうか。実は昨夜もお孝さんと寝酒をやっちまってね。ほら、酒は百薬《ひやくやく》の長《ちょう》っていうじゃありませんか。薬ですよ、薬。その方がぐっすり眠れますからね」

鉄斎は苦笑《にがわら》いをして鼻の頭を掻く。

「おいおい、いいのか」

「燗をつけるのは面倒だから、冷《ひや》でいいですよね。お孝さんも結構いける口なんですよ」

お孝は恥ずかしそうに俯《うつむ》いた。

「聖庵先生は、食欲のことを心配しておられたが、酒が呑めるんじゃ心配ないな」

「そういうことです。聖庵先生に伝えてください。あっ、お酒のことは内緒ですよ、旦那」

鉄斎は吸い込むように酒を呑んだ。

「こっちも、これで話しやすくなった。お染さん、これから話すことは聞かなかったことにしてくれ。いや、それは無理な話だな。お染さんの胸に仕舞《しま》っておいてほしい。実はお孝さんに話があって来た。本当ならお孝さんと二人で話したかったのだが、人の目もある。お染さんなら心配ないと判断したから話そう」

お染は口に運ぼうとしていた猪口を止めた。

「いやですよ、旦那。そんな改まって……」

お孝は目を伏せたままだ。

「お孝さん、あんた、このおけら長屋と何か関わりがあるのか。徳兵衛さんと、と言った方がよいかもしれんな」

お染は思いがけない事態に、目を白黒させている。

「だ、旦那、それはどういうことなんですか」

「わからん。だから、お孝さんに尋ねている。あんた、昨日、徳兵衛さんの家の様子を窺《うかが》っていたな。それから、出かける徳兵衛さんのことを稲荷社の陰から見つめていた。お里さんとお咲さんには、徳兵衛さんのことをいろいろと聞いている」

お染は思い当たることがあるようだ。

「そういえば、あたしにも聞いたよね。徳兵衛さんに、おかみさんはいないのかとか、子供はいないのかって……。何かあるのかい、お孝さん……」

お孝は下を向いたままだ。

「言いたくなければ無理に話さなくてもいい。だが、何か深い訳がありそうだ。もし悩んでいることがあるなら力になろう」

お染は、お孝の側ににじり寄る。

「そうだよ、お孝さん。この島田の旦那は頼りになる人なんだから。あたしたちだって、どれだけ助けられたかわかりゃしない。ねえ、一人で抱え込んでないで話してごらんよ」

お孝は立ち上がると、部屋の隅《すみ》に置いてあった風呂敷包みを取って、また元の場所に座った。

「それは、確か茅場町の宿にいた藤沢の人たちが、聖庵堂に届けてくれたもんだね」

「ええ。私の荷物ですから」

お孝は結び目を解き、着物の間から折り畳《たた》んだ紙を取り出すと、鉄斎に手渡した。

鉄斎はその紙を開き、目を通す。そのまま動かない鉄斎――。

「だ、旦那、なんて書いてあるんです」

鉄斎はその文字をゆっくりと読んだ。

「おこう　おまえのちちおやは　えどほんじょかめざわちょうにある　おけらながやのおおや　とくべえ」

しばらくはだれも言葉を発しなかった。

「私のおっかさんは、小田原宿で居酒屋をやっていました。小田原に流れてきたのは三十四年前のことですが、そのときには私を身籠もっていたそうです」

お孝は、母親が男にだらしなかったこと、父親がだれかわからなかったこと、嫁にいった後に母親とは疎遠になったこと、そして母親が死に、簞笥からその手紙が出てきたことを話した。

「手紙を読んだときは驚きました。でも、どうでもいいって思うことにしたんです。今さら父親を知ったところで何が変わるわけでもありません。逆に嫌な思いをするかもしれない。私には亭主も子供もいます。楽な暮らしではありませんが、私は幸せです。手紙のことは忘れようと思いました。でも、あるとき、ふと思ったんです。おっかさんは、なんであんな手紙を残したのかって。もしかしたら、私への罪滅ぼしかもしれないって……」

「罪滅ぼし……」

お染はその言葉を繰り返した。

「そう、罪滅ぼし。おっかさんは男癖の悪い呑んだくれでした。私は、あんな人の娘であることを恥じていた。その上、父親はどこのだれだかわからない。どうせロクでもない男でしょう。私が生まれてきたのは間違いだと思ったこともありました」

ここでお孝は少し間《ま》をおいた。

「おっかさんは、きっと徳兵衛さんのことを信じてたんです。お前のおとっつぁんは立派な人だ。だから恥じることなんかないって、私に伝えようとしていた。なんだか、そんな気がしてきたんです」

　鉄斎は黙って、酒を口へ運んでいる。

「でも、お孝さんのおっかさんと、徳兵衛さんは何年も会っていなかったんじゃないのかしら。徳兵衛さんは、娘がいるってことを知っていたのかしら」

「おそらく、おっかさんと徳兵衛さんは、私が生まれる前には別れていたと思います。徳兵衛さんは、小田原に来たことは一度もないはずです。私は、おっかさんと徳兵衛さんが、どうやって出会い、どうして別れたのか何も知りません。でも、おっかさんは徳兵衛さんのことを、心のどこかで信じてた。私が会いに行くことで、徳兵衛さんは迷惑するかもしれない。だけど徳兵衛さんを知ることで『お前は卑下《ひげ》するような女じゃない』って教えたかった。そう思ったら、どうしても徳兵衛さんに会いたくなってしまって……」

　鉄斎は、手に持っていた猪口を畳に置いた。

「だが、それは、徳兵衛さんが本当にお孝さんの父親だったときの話だ。その手紙だけで決めつけるわけにはいかない」

　今まで伏し目がちに話してたお孝が、鉄斎の目を正面からとらえた。

「徳兵衛さんは私の父親です。はじめて見たときにすぐわかりました」

ここでお孝は、また目線を落とした。

「会うつもりはなかったんです。どんな人か知りたかっただけなんです。藤沢の知り合いが、干物の行商で江戸に行くという話を聞き、その仲間に入れてもらうことにしました。亭主にすべてを打ち明けると、後悔しないようにすればいいと背中を押してくれました。亭主は幼いころに両親《ふたおや》と死に別れて苦労した人なので、私の気持ちをわかってくれたんです。少し前から風邪気味だったのですが、この機会を逃すと、次はいつになるかわかりません。夜が明ける前に藤沢を発ち、茅場町の宿で藤沢の人たちと別れました。本所亀沢町のおけら長屋に行くためです。藤沢から歩き通しで疲れてる上に、夕立に降られて気分が悪くなって……。はじめての江戸で道に迷ってしまって。それからの記憶がありません」

「そこで万松の二人に助けられたってわけか」

「私を助けてくれたのが、おけら長屋の人たちだと聞かされたときは、本当に驚きました」

お染は何度も頷く。

「お孝さんのおっかさんが導いてくれたのかもしれないねえ」

「あんな人でも、役立つことがあるんですね」

お孝は小さな声で笑った。鉄斎は右手で何度も顎《あご》を撫でる。

「それで、これからお孝さんはどうする。徳兵衛さんには何も言わずに、このまま藤沢に帰るつもりなのか」

お孝は頭《かぶり》を振る。

「わかりません。どうすればいいのかわからないんです……」

お染は、お孝に寄り添って優しく肩を叩いた。

「そりゃそうだよねえ。だいいちさ、徳兵衛さんになんて言やあいいのさ。いきなり『おとっつぁん』なんて呼べやしないし……。ねえ、旦那、どうすりゃいいんです」

お染と違って、鉄斎はすっきりした表情をしている。

「お孝さん、あんたの亭主は『後悔しないようにすればいい』と言って、あんたを江戸に送り出したそうだな。今、あんたの亭主ならなんと言うだろう。同じことを言うと思うがな。徳兵衛さんもお孝さんも立派な大人だ。それぞれに生活の場も持っている。恨《うら》みつらみを言う関係でもなさそうだ。もしよければ、私から徳兵衛さんに話してみるが……」

お染は、お孝の肩に置いた手をゆっくりと揺さ振った。

「そうしてもらいなよ、お孝さん。ここで帰っちまったら、絶対に後悔することになるよ。ね、鉄斎の旦那に任せてみようよ」

お孝は頷くと、か細い声で「お願いします」と言った。

「ひとつ聞き忘れたことがある。あんたのおっかさんは、なんという名だ」

「お軽です」

鉄斎は「わかった」と答え、立ち上がった。


徳兵衛は一人で茶を飲みながら、宗右衛門のことを考えていた。宗右衛門と娘の仲を取り持ってやりたいが、娘が家を飛び出したままでは、その術《すべ》がない。おそらく娘は思い違いをしている。その思い違いを解いてやれば、普通の父と娘の関係に戻れるはずだ。でも、どうやって……。

鉄斎は徳兵衛の家の引き戸を軽く叩いた。

「島田です。夜分に申し訳ありません」

中からは「どうぞ、お入りください」という声がした。鉄斎は引き戸を開けて中に入る。

「徳兵衛さんに話があって参りました」

いつもなら「また万松の馬鹿どもが何かやらかしましたな」などと言葉を返す徳兵衛が黙っている。きっと「深刻なこと」と鉄斎の顔に書いてあるのだろう。

徳兵衛は座敷に座布団《ざぶとん》を用意した。鉄斎がいつも座る場所である。鉄斎はそこに座ると、前置きもなく切り出した。

「話があるというのは、お孝さんのことです」

「お孝さんの……。病はかなり重いのですか」

「そうではありません。日に日に元気になっているようです」

「では、お孝さんが何か……」

鉄斎は、徳兵衛が淹れた茶を啜った。

「聖庵先生の話では、聖庵堂に運んでくれたのが、おけら長屋の連中だと知ったとき、お孝さんの目つきが変わったそうです。だから私は、お孝さんのことを注意深く見ていた。お孝さんは、それとなく徳兵衛さんのことを調べていました」

「私のことを……」

「そうです。徳兵衛さんのことをです」

「な、なぜですか」

「私もその訳が知りたくて、お孝さんに尋ねました。お孝さんは悩んでいるようでしたが、私に打ち明けてくれました」

鉄斎は折り畳んである紙を懐から取り出すと、徳兵衛に手渡す。

「お孝さんは、そこに書いてあることを確かめるために、藤沢から出てきたそうです」

徳兵衛はその紙を丁寧に開き、ゆっくりと読んだ。部屋には静かな時が流れている。

「こ、これは……」

「お孝さんの母親は、この手紙を残して死んでいったそうです」

「母親の名は……」

「お軽というそうです」

手紙を持つ徳兵衛の手が震《ふる》えだした。

「お軽……。お軽か。お孝さんが、あのお軽の娘だというのですか」

「お軽という女をご存知のようですな」

徳兵衛は、その問いには答えなかった。

「お孝さんの歳《とし》はいくつなのでしょう」

「さあ。確か、お軽さんがお孝さんを身籠もっていたのが三十四年前とか……」

「そうだったのか……」

徳兵衛は目頭をそっと押さえた。

「申し訳ありません。あまりにも突然のことで。落ち着くまで少し時をいただけませんか」

鉄斎は何も答えずに茶を飲む。徳兵衛は目を閉じていた。

しばらくして、徳兵衛は口を開いた。

「あのお孝さんにはじめて会ったとき、不思議な懐かしさを感じました。そうだったのか。お軽の面影《おもかげ》を感じ取っていたのか。だれかに似ていると思っていたが、そう考えると、目元が私の倅にそっくりだ。島田さん、お孝さんは私の娘です。私とお軽の娘に間違いありません」

徳兵衛は膝《ひざ》に置いた手を握り締めている。

「私が十九歳のときでした。わたしはロクに女も知らない初《うぶ》な男だったのですが、六つ年上の居酒屋の女主人、お軽という女に引っかかってしまいましてね」

思いがけない徳兵衛の語り出しに驚いた鉄斎だが、もちろん顔には出さない。

「お軽は妖艶《ようえん》な女でしてね、私はすっかりはまってしまいました。私はそのころ父親の持つ長屋で大家の仕事を手伝っていたのですが、仕事もそっちのけで、お軽の店に通い詰めた。お軽に遊ばれていることも知らずに、色男を気取って連日の朝帰りでした。

ある朝、お軽と床を共にしていると、銀蔵《ぎんぞう》という男が現れました。美人局《つつもたせ》まがいの与太者《よたもの》です。お決まりの『おれの女に手を出しやがって、どうしてくれる』というやつです。私は殴られて金を要求されました。断っても、銀蔵は執念深くつきまとってきます。結局は父、仁兵衛《にへえ》の知るところとなりました。私はまだ世間知らずの十九歳です。自分ではどうすることもできません。土地の岡《おか》っ引《び》きに仲立ちしてもらい、なんとか事を収めたのです。親父は、その金を工面《くめん》するために、石原町《いしはらちょう》にあった長屋の大家株を手放した。穴があれば入りたい心持ちでした。私は心を入れ替えて働くことを誓い、なんとか勘当を免《まぬが》れたような次第で……。しばらくすると、お軽も銀蔵もどこかにいなくなってしまいましてね。私から金を巻き上げるのが狙《ねら》いだったのでしょう。もう三十四年も前のことです」

徳兵衛は手にしている茶碗を見つめたままだ。

「すると、そのお軽という女は、徳兵衛さんの前から姿を消すときには、すでに身籠もっていたことになりますね」

「お軽本人が気づいていたかはわかりませんがね……」

鉄斎は茶を飲み干した。

「お孝さんの心は揺れています。はじめは徳兵衛さんがどんな人かを確かめに来ただけだったようです。ですが、おけら長屋の連中に助けられて、徳兵衛さんと会う運命《さだめ》を感じたのかもしれません。徳兵衛さんはどうされますか」

「今度ばかりは、万松の二人に礼を言わなければなりませんな。話しましょう、お孝さんと。できれば二人きりで話したい。わがままを言って申し訳ありません」

「わかりました。お孝さんを連れてきましょう。それから、このことを知っているのは、私とお染さんだけですから。念のため」

鉄斎は静かに立ち上がった。

向き合って座った徳兵衛とお孝が余所余所《よそよそ》しいのも無理はない。

「どうやら私は、お孝さんの父親のようだ。いや、間違いなく父親だ。こんなとき、なんと挨拶すればよいのか、よくわかりませんな。困りました」

お孝は俯《うつむ》いたままだ。

「私とお軽は、三十四年前に、その、深い関係になりましてな。まあ、いろいろあって別れました。そのとき、お軽が私の子を身籠もっているとは知らなかった。すまなかった」

徳兵衛は両手をついて頭を下げた。お孝は何度も首を横に振る。

「とんでもない。頭を上げてください。きっと、徳兵衛さんは嫌な思いをしたはずです。江戸から小田原に流れてきたおっかさんは、居酒屋を買い取るお金を持っていたそうです。まともなお金ではないと思っていましたが……」

徳兵衛は苦笑いをする。

「昔のことです。もう忘れました。そんなことよりも、よく来てくれました。本当によく来てくれましたね」

お孝は右手の甲で涙を拭う。

「おとっつぁんが、いや、徳兵衛さんがどんな人か確かめたら帰るつもりだったんです。でも、こんなに迷惑をかけてしまいましたね」

控え目な性格は、人の目を気にして生きてきた証《あかし》かもしれない。

「お孝さん。あんた、苦労して育ったんだろうな」

「その分、今は幸せです。十八のときに藤沢の海産物屋に嫁いで……、海産物屋といっても干物を作るだけですけど。亭主は働き者で、それから娘が二人います。十三歳と十歳になります」

「おお。私には娘だけでなく、孫もおったのか。会ってみたいもんだ」

「娘たちも、江戸にお祖父《じい》さんがいると知ったら、さぞ驚くことでしょう」

少しずつ、少しずつだが、二人は父と娘に近づいているような気がしていた。

お染の家では、鉄斎とお染が酒のやりとりをしている。

「どうなったかな、あの二人……」

「心配いりませんよ。父娘《おやこ》なんですから」

「しかし驚いたな、徳兵衛さんに娘がいたとは……」

「でも私は、大家さんのことがもっと好きになりましたよ。そんな昔があったから、人に優しくなれるんですよ」

「そうだな。ところで、お染さん。この話は……」

「わかってますよ、旦那」

いきなり引き戸が開いた。

「ようよう。大人の男と女が差しつ差されつなんざ、なんとも絵になるねえ。なあ、松ちゃん」

「いよっ、ご両人。おれたちも交ぜてくださいよ。ちゃんと酒は持ってますから」

だいぶ出来上がっている様子で、こんな場面には面倒な二人だ。厚かましく上がり込んでくる万造。松吉は表に向かって叫ぶ。

「八五郎あにい、こっちこっち。次の席はこちらに決まりました」

さらに厄介な一人が増える。ちどり足でなだれ込んできた八五郎は、鉄斎とお染を交互に指差す。

「あっ、あっ。二人でしっぽり呑もうなんざ、そうはさせねえぞ」

泣く子と酔っ払いには勝てないと見えて、鉄斎とお染はお手上げだ。

「あれ、お孝さんがいねえなあ」

万造は座布団を捲《めく》ったり、徳利の中を覗いたりしている。

「そんなとこに、お孝さんがいるわけねえだろ。どこへ行ったんです」

お染は、ごまかそうと思ったが、よい案が浮かばない。

「その、ちょっと大家さんのところへね……」

鉄斎は顔をしかめたが、もう手遅れだ。

「大家のところだと。大家なんかになんの用があるんでえ」

八五郎が絡《から》む。

「だから、ちょっと、そのね……」

万造が手を打った。

「わかった。あの大家のことだ。お孝さんから店賃《たなちん》を取るつもりなんでえ」

松吉も追従《ついじゅう》する。

「それにちげえねえ。あの大家のやりそうなこった。許せねえ。お孝さんは聖庵堂に払う金がねえから、ここに来てるんでえ。そんな人から金を巻き上げようってえのか」

八五郎は半纏《はんてん》の袖を捲《まく》った。

「あの鬼が。よし、これから大家のところへ踏み込んで、お孝さんの味方になってやろうじゃねえか」

三人は外へ飛び出す。

「ちょっと待ってくれ。おい、八五郎さん」

鉄斎の言葉などが耳に入るはずもない。

「そうかい、お孝さんの亭主は優しい人なのかい。そりゃ何よりだ」

「ええ。今度のことも、悩んでいる私の背中を押してくれたのは亭主なんです。あの人には本当に感謝しています」

お孝が涙を拭っていると、いきなり引き戸が開いた。

「ほら、言わんこっちゃねえ。因業《いんごう》大家に泣かされてやがらあ」

徳兵衛は、なだれ込んできた三人を見て固まった。

「な、なんだ、お前たちは。いきなり人の家に入ってきて」

万造はその剣幕に怯《ひる》まない。

「うるせえ、この野郎。静養に来た病人から店賃をふんだくろうなんざ、江戸っ子の風上にも置けねえ。この人《ひと》で無《な》しが」

「お孝さん、心配することはねえ。あんたの店賃くれえ、おれたちがなんとかしてやらあ」

万造と松吉の啖呵《たんか》に続いて、ゆっくりと八五郎が歩みよる。

「大家さんよ。こんな、てめえの娘みてえな人を泣かせて、恥ずかしくはねえんですかい」

「お前たち、何か思い違いをしているようだな」

八五郎は呆れ顔で――。

「開き直ってやがる。大家さんよ、もう一度言うぜ。こんな、てめえの娘みてえな人を泣かせて恥ずかしくはねえんですかい」

徳兵衛は小さな咳払いをする。

「この人は『娘みてえな』ではなく、私の娘だ」

しばらく沈黙が続いた。

「おい万造、おれは酔っ払って耳がおかしくなったのかもしれねえ。今、大家はなんて言いやがった」

「八五郎さん、おれも耳がおかしくなったような気がする。松ちゃん、おめえはなんて聞こえたんだ」

「おれもだ。こんなはっきりとした聞き違いはしたことがねえ。大家さん、もう一度、噛《か》んで含めるように言っちゃもらえませんか」

徳兵衛は勿体《もったい》をつけて茶を飲む。

「だから、このお孝さんは、私の娘だ」

三人は顔を見合わせる。

「な、なんですか、そりゃ。娘がいたなんて、はじめて聞いたぜ」

「そうだろうな。私もさっき知ったばかりだからな」

「お孝さん、あんた、本当に大家さんの娘さんなんですかい」

お孝は大きく頷いた。徳兵衛は三人の方を向いて姿勢を正した。

「お前さんたちがいなければ、娘と会うことはできなかったかもしれない。改めて礼を言う。世話になった」

八五郎、万造、松吉の三人は、呆然とその場に立ち尽くすだけだった。


翌朝、長屋にいた者は、徳兵衛の家に呼ばれた。徳兵衛が、おけら長屋の住人たちに、お孝のことを話すことにしたからだ。

「すべてを話すつもりですか」

鉄斎は心配したが、徳兵衛は吹っ切れた様子だ。

「隠しだてすることではありませんから」

徳兵衛は、三十四年前に、お軽と出会ったときのことも赤裸々《せきらら》に語った。万造と松吉は感心しきりだ。

「年上の女に入れ揚げて、金を巻き上げられるなんざ、なんとも乙じゃねえか。大家さん、見直しました」

「まったくでえ。スネにキズを持つ大家なんて粋じゃねえか。そんな長屋に住めるおれたちは果報者《かほうもの》です」

万松の二人は涙ぐむ。それを見たお里が――。

「あんたたち、感極《かんきわ》まるとこが違うんじゃないかい。だれだって、大家さんが娘さんと会えたって方に感極まるだろ」

みんなが笑った。徳兵衛は改まって座り直す。

「まあ、そういうことだ。これからもよろしく頼みますよ」

徳兵衛とお孝は二人並んで、恥ずかしそうに頭を下げた。万造が大向こうから声をかける。

「いよっ、ご両人」

「馬鹿野郎、祝言《しゅうげん》じゃねえや。でも大家さん、島田の旦那から、その話を聞かされたときは、さぞ驚いたでしょうね」

徳兵衛は額に手をあてた。

「ああ。正直、どうしたらよいのか、わからなかった。だがな、お孝さんが本当に私の娘なら、会って話せばなんとかなると思った。本当の父と娘なら、会えばなんとかなるものだ」

その言葉には不思議な説得力があった。

お孝はしばらくの間、徳兵衛と一緒に暮らすことになった。お孝には藤沢に生活の場所がある。身体がよくなれば藤沢に帰ることになる。ならば、それまでは父娘水入らずで暮らす方がよいというのが長屋の住人一同の意見だった。

おけら長屋に住む与兵衛は、相生町《あいおいちょう》で乾物を商う相模屋《さがみや》の隠居だ。藤沢には相模屋の仕入先があり、店の者が、お孝の家に手紙を届けてくれることになった。これでお孝の亭主と、二人の娘は安心できるはずだ。徳兵衛は、お孝には内緒で、五両という金を亭主に渡すように頼んだ。

徳兵衛とお孝の心の距離はだんだん近くなっている。春になると雪が解《と》けるように時の流れがそうさせていることもあるが、それよりも、この時間を大切にしたいという二人の気持ちがまさっているからだ。しばらくすれば、お孝は藤沢に帰る。次はいつ会えるかわからない。もしかしたら、これが最後になるかもしれない。二人が、この父娘の時間を大切にしたいと思うのは当然のことだ。

徳兵衛がお孝に肩を揉《も》んでもらっていると、外から声がかかる。

「徳兵衛さん、おられますかな」

声の主は宗右衛門だ。まずい。娘のことで心を痛めている宗右衛門に「娘ができました」などとは、とても言えない。まして、その娘に肩を揉んでもらっているなどという、絵に描いたような幸せを見せるわけにはいかない。

「おとっつぁん、だれか来ましたよ」

お孝は、徳兵衛のことを「おとっつぁん」と呼ぶようになっていた。

「いや、そのな、お孝はそこに座っていなさい」

徳兵衛は右往左往している。

「ま、まさか、掛け取りですか」

「いや、そうではない」

外からは、また声がかかる。

「徳兵衛さん、おられますかな」

徳兵衛は観念した。

「どうぞ、お入りください」

引き戸を開けて入ってきた宗右衛門は、またしても大きな風呂敷包みを持っている。

「また来てしまいました。散歩のつもりで家を出たのですが、どうしてもこちらに足が向いてしまう」

徳兵衛は宗右衛門を座敷に招き入れる。その座敷の隅には、お孝が座っている。

「おや、こちらさんは……」

「その、なんと申しましょうか、手っ取り早くいうと、その……、娘です」

宗右衛門は笑う。

「娘さんだということはわかります。どちらの娘さんですかな」

「で、ですから、こちらの娘さんです」

「こちらの……」

「ええ、こちらの」

「言ってることがわかりませんな」

お孝は二人の珍問答《ちんもんどう》を、不思議そうに眺めている。

「つまり……、私の娘です。私の娘で、お孝といいます」

宗右衛門は首を傾げる。

「確か、徳兵衛さんには、息子さんが一人とお聞きしましたが……」

「私もそのつもりだったのですが……」

「どうもよくわかりませんなあ」

徳兵衛は詳しい経緯を打ち明けた。この話をするのはこれで二度目だ。回を重ねると、流暢《りゅうちょう》に喋るようになるから不思議だ。

話を聞き終えた宗右衛門は、我がことのように喜んでくれた。徳兵衛にはそれが心苦しい。

「父娘で水入らずとは羨ましいですな。お孝さん、せいぜい甘えてあげてくださいよ。親というのは、子供に甘えられるのが嬉しいものですから」

宗右衛門は笑顔だが、その裏に寂しさが見え隠れしている。徳兵衛には、それを読み取ることができた。


おけら長屋の井戸端は慌《あわただ》しいことになっている。万造と松吉が話しているところに駆け込んできたのは、畳職人の喜四郎だ。

「おい、おめえたち。今、大家の家に入っていった人を見たか」

万松の反応は上々だ。

「おれたちも今、その話をしてたんだ。あれは、日本橋本町にある薬種問屋の主人、木田屋宗右衛門だ。間違《まちげ》えねえ。うちの番頭と酒を届けに行ったとき、二、三度見かけたことがある。あれだけの大店のくせしやがって、一番安い酒しか買わなかったから、よく覚えてらあ」

松吉の話を、腕組みしながら聞いていた万造が――。

「薬種問屋の木田屋といったら、江戸でも指折りの大店だ。その主が、こんな汚ねえ長屋の大家と知り合いだったとはなあ……。ところで喜四郎さんは、何を慌ててるんですかい」

喜四郎は手の甲で鼻水を拭った。

「このめえ、大家がお大尽と、柳橋の料亭でドンチャン騒ぎをしてたって話しただろ。そのお大尽が、大家の家にへえっていった人だ」

松吉は低い声で唸る。

「うーん、そいつぁ、ありえねえ。木田屋宗右衛門といやあ、江戸でも名代《なだい》の吝い屋だ。飯だって粥にすりゃ半分の量で満腹になるっていう、しみったれでえ。そんな豪勢な遊びをするわけがねえ。間違えじゃねえですかい」

喜四郎は胸を叩く。

「絶対に間違えねえ。あれが柳橋のお大尽だ」

「それを知ったら、木田屋の奉公人たちは泣くぜ。二六時中《にろくじちゅう》、倹約を押しつけられてるんだからよ」

喜四郎が家に戻ると、万造は顔をニヤケさせる。

「どうした万ちゃん。何かおもしれえことでも思いついたのかよ」

「ああ。こいつぁ、訳ありだぜ。吝い屋の木田屋宗右衛門は、そんなお大尽遊びを知られたくはねえだろ。うめえこと、尻尾《しっぽ》をつかまえりゃ、おれたちも柳橋でゴチになれるかもしれねえ」

「そいつは妙案だ。まずは大家を突っついてみるか」

お染と連れ立ってお孝が湯屋に行ったのを確かめると、万造と松吉は徳兵衛の家を奇襲した。

「なんだ、二人揃《そろ》って。殊勝《しゅしょう》にも溜めた店賃を払いに来たのか」

万造は口元に笑いを含ませる。

「へっへっへ。柳橋の料亭で豪勢に遊べる大家さんにゃ、店賃なんていらねえでしょう。なあ、松ちゃん」

徳兵衛の顔は引きつる。

「おうよ。入舟といやあ、ひと晩でおれたちの店賃一年分だ。馬鹿馬鹿しくて、まともに払ってなんかいられるけえ」

徳兵衛の引きつった顔は、青ざめる。

「お前たち、それをどこで知った」

万造は予想以上の食いつきに、大きな手応《てごた》えを感じた。

「大家さん。亀に耳あり将棋に目ありって諺《ことわざ》を知りませんか」

「それを言うなら、壁に耳あり障子《しょうじ》に目ありだろ」

「なんとなく意味が通じりゃいいんでえ」

徳兵衛はゆっくりと呼吸をして落ち着こうとしている。

「あれは知り合いにご馳走になっただけで、私が払ったわけではない。それが、お前たちの溜めた店賃とどんな関わりがあるんだ」

松吉も満を持《じ》して――。

「その知り合いってえのは、日本橋本町にある薬種問屋の木田屋宗右衛門ですね」

松吉は余裕の笑みを浮かべた。

「お前たち、そこまで……」

「大家さんも知ってるでしょう。おれたちが地獄耳だって。木田屋宗右衛門といったら、名代の吝い屋、ケチ、しみったれだ。奉公人たちや出入りの者も辟易《へきえき》してるって話じゃねえですか。その主が柳橋の料亭で散財してるって知ったら、店の者たちはどう思いますかね」

徳兵衛の声は低くなる。

「お前たちの狙いは何だ」

万造はその低い声を軽くかわす。

「大家さん、狙いだなんて人聞きが悪いなあ。今度、木田屋宗右衛門と大家さんが柳橋に繰り出すときに、おれたちも末席に加えてもらいてえだけなんで。なあ、松ちゃん」

「そうですよ。大家さんだけがゴチになるなんてずるいじゃねえですか。大家さんから木田屋の旦那に頼んじゃもらえませんか。なにも柳橋じゃなきゃ駄目だって言ってるわけじゃねえんです。辰巳《たつみ》でも吉原《よしわら》でもいいんですから」

青くなっていた徳兵衛の顔は、赤くなってきた。

「馬鹿なことを言うな。そんなことを頼めるわけがないだろう。お前たちのやってることは揺すりたかりじゃないか」

「こんな下手《したて》に出る揺すりたかりがいるわけねえでしょう。ねえ、大家さん、おれたちも連れてってくだせえよ。冥土《めいど》の土産《みやげ》に一度でいいからお大尽遊びをしてみてえんですよ。お願いします。この通りです」

万松の二人は涙を浮かべて両手をついた。

「今度は泣き落としか。その若さで何が冥土の土産だ。だいたいお前たちはな……」

引き戸が開いて、お孝が帰ってきた。

「あら、万造さんに松吉さん、いらしてたんですか。おとっつぁん、お茶も出してないの。お酒の方がいいですかね。お二人は私の命の恩人なんですから」

万造は手を叩く。

「いよっ。親父が、気が利かねえと、娘さんが苦労するねえ。そうこなくっちゃいけねえ」

「なんだと」と徳兵衛が言い返すと思いきや、腕を組んで何やら思案している。

「そ、そうか。その手があったか……」

お孝は徳兵衛の顔を覗き込む。

「どうしたの、おとっつぁん……」

「お孝、この二人に酒を用意しなさい」

突然の展開に、万松の二人は顔を見合わせる。

徳兵衛は改めて、二人の方に向き直った。

「噂通り、お前たちの鼻は犬並みに利くようだな。そこで頼みがある。うまくいけば、柳橋というわけにはいかないが、私が一席設《もう》けようじゃないか。どうだい」

「そりゃ、おれたちにできることなら。なあ、松ちゃん」

「ああ。で、どんな用件で」

徳兵衛は歯切れのよい口調で——。

「木田屋宗右衛門さんの娘さんを捜してもらいたい」

「木田屋の旦那の娘を……」

「そうだ」

「なんだか訳がありそうですね。詳しい話を聞かせちゃもらえませんか」

松吉の言葉に徳兵衛は頷く。

「いいだろう。ただし口外しないでくれ。柳橋の件もだぞ」

万松の二人は首を縦に振った。

「私はひょんなことから、木田屋宗右衛門さんと知り合った。なぜか意気投合してしまってな。大店の主というのは孤独だそうだ。店の者たちの気が緩《ゆる》まぬよう厳しいことも言わなければならない。宗右衛門さんには娘さんがいるそうだが、そんな宗右衛門さんに娘さんは子供のころから反発したらしい。そして、ふた月ほど前に、些細なことから喧嘩になり、娘さんは家を飛び出してしまったそうだ。

宗右衛門さんは、娘さんがかわいくて仕方ないんだ。だが事あるごとにぶつかってしまう。私はなんとか、宗右衛門さんと娘さんの仲を取り持ってやりたいと思っている。父娘なのに仲違《なかたが》いをしているなんて悲しいじゃないか。お孝が娘と知って、まだほんの数日だが、私には宗右衛門さんの気持ちがわかるんだ」

徳兵衛は、台所で酒の支度《したく》をしているお孝を優しい眼差《まなざ》しで見つめた。

「大家さんの話はわかりました。それで何か手掛かりはあるんですか。名前とか年格好とか」

「何もわからん。ただ娘さんは、医者になりたいと言ってたそうだ」

お孝が、盆に載せてきた徳利と猪口を二人の前に置いた。

「それって、お満さんのことじゃないかしら。確か、日本橋本町にある薬種問屋の娘さんだって言ってた。なんでも、父親とは犬猿の仲で子供のころから喧嘩ばかりで……」

「ちょっと待ってくれ」

万造がお孝の話を遮《さえぎ》った。

「お満って、あの聖庵先生の助手のお満か。そういえば、ふた月ほど前に弟子になりてえって押しかけてきたと、聖庵先生が言ってたな。あのオテンバが木田屋宗右衛門の娘だってか。こいつぁいいや」

徳兵衛が色めき立った。

「そ、それは本当か」

松吉は徳利の酒をそのまま呑んだ。

「ここまで話が揃ってるなら、まちげえねえでしょう。捜す手間が省けたじゃねえですか。おい、万ちゃん。はええとこ呑まねえと、酒を下げられちまうぜ」

慌てて徳利を鷲づかみにする万造。

「そんなことはせんから安心して呑め。そうか……。宗右衛門さんの娘さんは聖庵先生のところにいたのか。灯台下暗《とうだいもとくら》しとはこのことだ」

万造は、その徳利から猪口に酒を注いだ。

「大家さん、せっかくですから、おれたちに一席設けてくれるって話を、続けさせちゃもらえませんか」

徳兵衛は斜《はす》に構える。

「そりゃ、どういうことだ」

「察しが悪いなあ。だからよ、木田屋宗右衛門と、娘のお満の仲を取り持ちゃいいんでしょ。その手のことは、おれたちの十八番《おはこ》ですからね」

「馬鹿を言うな。お前たちに任せたら取り返しのつかないことになる」

「その話には筋《すじ》が通ってねえな。だってよ、どっちみち二人は仲違いしてるんでしょ。だったら失うものなんかねえじゃねえか。そういうときには、万松お得意の荒療治が必要なんですよ。どうせまともな御膳立てをしたって、互いに意地を張っちまって、出てきやしねえんですから」

　確かに万造の言う通りかもしれない。考えれば考えるほど、万造の言ってることが正しいような気がしてくる。徳兵衛は自分がすっかり、おけら長屋の色に染められてしまったような気がして、溜息をついた。徳兵衛は恐る恐る尋ねる。

「で、どうするつもりだ」

　万造は目を閉じ、正座をして考え込んでいる。

「何か策はあるのか」

　松吉は小声で徳兵衛に耳打ちする。

「万ちゃんが、この形に入ったときは、そっとしておいてください。何かが天から降りてくるはずです」

かなりの時間が経過した。

「できた」

万造はカッと目を見開いて大声で叫んだ。

「大家さん、この一件は大家さんの頼みでやるんですからね。宗右衛門さんとお満を引き合わせるとなりゃ、おれと松ちゃんだけじゃ役者が足りねえ。大家さんとお孝さんにも手伝ってもらいますぜ」

徳兵衛は及び腰になる。

「わ、私たちにどうしろというのだ」

「ふけえことは考えねえでいいんですよ。おれたちの言う通りにしてりゃいいんで。これから松ちゃんと筋書きを練りますんで、今日はこれでけえります。いろいろと下調べが必要なもんで」

万松の二人は酒を残したまま出ていった。こうなったら、あの二人に任せるしかない。徳兵衛は腹を括《くく》った。

二日後の昼下がり、徳兵衛の家に宗右衛門がやってきた。近く、お孝が藤沢に帰ることになったので、ぜひ一緒に粗食でもと、徳兵衛が宗右衛門に使いを出したのだ。

宗右衛門は、お孝に小さな紙包みを差し出した。

「これは餞別《せんべつ》です。ほんの気持ちですから、受け取ってください」

どうしてよいのかわからず、徳兵衛の顔色を窺うお孝。

「宗右衛門さんがこのようなことを。吝い屋が泣きますぞ」

「徳兵衛さんの娘さんは特別です。餞別を渡すなど生まれてはじめてのことですが、思いのほか気持ちがよいものですな」

「お孝。せっかくですから、いただいておきなさい」

お孝は、その紙包みを額に押し当てるようにして、深々とお辞儀をした。その横で、徳兵衛は右手で胸をおさえる。

「どうしたんですか、おとっつぁん」

「なんでもない。ちょっと胸が苦しくなっただけで、もう治りました。さあ、宗右衛門さん。餞別のお返しといってはなんですが、今日はお孝が腕に縒《よ》りをかけて料理を作りました。田舎《いなか》料理ですが、それも一興でしょう」

徳兵衛は、宗右衛門の猪口に酒を注いだ。

「おお、これは旨そうだ。さっそくいただくことにしましょう」

酒は口につける程度にして、宗右衛門は箸を伸ばす。

「お孝さん、藤沢というのは、よいところなのでしょうなあ」

「いえ。海があるだけです。大山詣《おおやままい》りの初山や盆山のころには、旅籠《はたご》も繁盛して活気づくんですが」

「そうらしいですなあ。参詣の後に江ノ島《えのしま》や藤沢あたりで羽目《はめ》を外《はず》す人たちが多いと聞いたことがあります」

「でも、そのおかげで、私たちの商いも成り立っていますから」

小さな音がした。宗右衛門とお孝がその方を見ると、徳兵衛が手にしていた猪口を落としていた。

「おとっつぁん、どうしたの」

「し、心の臓が……」

胸をおさえて前屈《まえかが》みになった徳兵衛は、そのまま横に倒れた。

「おとっつぁん」

「徳兵衛さん、どうしました」

「おとっつぁん」

倒れた徳兵衛は、苦しそうに呻《うめ》き声を洩《も》らすだけだ。お孝は徳兵衛に抱きつくようにして背中を摩《さす》るが、意識は戻らない。お孝は外へ飛び出した。

「だ、だれか。だれかいませんか」

計ったように井戸の方から走り込んでくるのは、万造と松吉だ。

「どうしたい、お孝さん。大家が死んだのか」

「お、おとっつぁんが急に倒れて……」

「万ちゃん、こいつぁ、洒落《しゃれ》を言ってる場合じゃねえようだ」

万松の二人は、雪駄《せった》を脱ぎ捨てると、座敷に駆け上がってくる。

「心の臓の発作だ。そうか、あんたはまだ知らなかったのか。大家さんは心の臓に持病があってよ。万ちゃん、すぐに聖庵先生を呼んできてくれ。お孝さんは布団を敷いてくれ」

万造は草履《ぞうり》を手に持つと、そのままで走っていった。

まごついている宗右衛門を余所に、お孝と松吉は素早い。手際よく床の用意をして徳兵衛を寝かす。そこへ駆けつけてきたのは、お里とお咲だ。

「大家さんが倒れたんだって。すぐにこれを飲ませて」

お孝はたじろぐ。そんな話は聞いていないからだ。

「聖庵先生から、大家さんが倒れたらこれを飲ませろって預かってたんだよ。ほら、松吉さん、その猪口に入れて飲ませればいい」

これは万造が考えた余興である。万造がお満を連れてくるまで間がもたないだろうから、ちょいと大家をからかってやろうという趣向だ。瓶《びん》の中に入っているのは塩を溶かした酢。今朝、試しに飲んだ万造は咳《せ》き込んで、のたうち回った。

松吉はその〝薬〟を猪口に注ぐと、お孝に手渡す。

「さあ、お孝さん。早く飲ませるんだ」

「は、はい……」

松吉はためらうお孝の手から猪口を奪い取ると、寝ている徳兵衛の口を無理矢理に開き、薬を流し込む。徳兵衛は起き上がって怒鳴《どな》るわけにもいかず、歯を食い縛って耐え続けた。


聖庵堂に着いた万造は、表から叫ぶ。

「聖庵先生、聖庵先生はいませんか」

もとより、聖庵がいないことを確かめた上で来ているのだから、馬鹿馬鹿しいと思うが仕方ない。筋書き通り、出てくるのはお満だ。

「騒々しいと思ったら、やっぱりあなたでしたか」

「やっぱりとはなんでえ、やっぱりとは。って、おめえと喧嘩してる場合じゃねえ。うちの長屋の大家が倒れた。胸をおさえて苦しそうだ。すぐ、聖庵先生に来てもらいてえ」

「聖庵先生は留守《るす》です」

「じゃあ、おめえでもいいから来てくれ」

「でもいいからとはなんですか」

「四《し》の五《ご》の抜かすねえ。人の命がかかってるんでえ」

「わかりました。すぐに用意しますから、案内してください」

万造が往診用の木箱をお満から奪って走りだすと、お満は必死にその後を追いかけた。

「おとっつぁん、しっかりして」

徳兵衛は唸《うな》り続けたままだ。宗右衛門は見守ることしかできない。松吉は薬の瓶を手に持った。

「この薬をもう少し飲ませてみようか」

徳兵衛は、さらに大きな声で唸って、松吉に背を向けた。

外から足音が近づいてくる。木箱を持って飛び込んできたのは万造だ。

「さあ、早く。こっちだ。聖庵先生は留守だったんで、代わりに女先生を連れてきた」

肩で息をしながら入ってきたお満は、布団の側に駆け寄る。ふと横を見ると……、お満と宗右衛門は固まった。

「おとっ……」

「お、おま……」

松吉は、そんな二人を不思議そうに眺める。

「ど、どうかしたんですか」

お満は、すぐに宗右衛門から視線を外した。

「な、なんでもありません。こちらが大家さんですね。お孝さん、心配いりませんからね」

お満は、徳兵衛の脈をとり、胸に直接、耳をあてて心の臓の音を聴く。そして焦《あせ》りの表情を浮かべた。

「脈がかなり乱れています。顔も赤いし、心の臓の音も激しい……」

お満は首を捻《ひね》る。もちろん松吉が飲ませた〝薬〟のせいである。徳兵衛は咳き込むのを必死で耐えた結果、顔は紅潮し、心臓の鼓動はその速さを増した。

「とりあえず、気付け薬を飲ませてみましょう。お孝さん、白湯《さゆ》を用意してください」

徳兵衛には、このひと言がありがたかった。とにかくなんでもよいから飲みたい。口の中を洗い流したかった。

お満が薬と白湯を飲ませると、徳兵衛の表情は穏やかになった。

「薬が効いたようです」

「やるじゃねえか。見直したぜ、お満先生」

万造は自分の尻を抓《つね》りながら、お満を褒める。笑いを堪《こら》えるのに必死なのだ。徳兵衛の呼吸は落ち着きを取り戻し、ゆっくりと目が開く。

「徳兵衛さん、気がつかれましたか」

「あ、あなたは……」

お孝が徳兵衛の上に顔を出す。

「聖庵先生の助手のお満さんです。聖庵先生が留守なので、代わりに来てくれたんですよ」

「おお。あなたがお満さんですか。娘を助けてくださり、私までも……」

「無理に喋らないでください。息苦しくはありませんか」

徳兵衛は弱々しく話しだす。

「大丈夫です。聖庵先生から、次に発作《ほっさ》が起きたら助からないだろうと言われていました。やっと会えた娘とも、話せるのはこれが最後になるかもしれません。もう思い残すことはありません。私は、今このときを大切にしたいのです。少しだけ話をさせてください」

お満は優しく徳兵衛をなだめる。

「そんな弱気なことを言わないでください。必ず治りますから……」

お孝は、お満の袖口をつかむ。

「お満さん。おとっつぁんの好きなようにさせてやっちゃもらえませんか。お願いです」

お満は二人に押し切られる形となった。

「父娘《おやこ》というのはありがたいものです。お孝が私の娘だと聞かされたときは驚きました。どうやって接すればよいのかわからずに悩みました。だが不思議なものですな。話をしているうちに、一緒に暮らしているうちに、何となく父娘のようになってくる。なぜだかわかりますか。当たり前の話ですが、父娘だからなんです。目には見えない父と娘の絆《きずな》があるからなんです。父娘が喧嘩をできるのは、この絆があるからです。いくら仲違いをしたって、父娘の絆は切れることはない……」

お孝は、徳兵衛に白湯を飲ませた。

「お孝との失われた三十四年間を取り戻すことはできません。それだけが残念です。月並みの父娘のように、喧嘩をして仲直りをして、また喧嘩をして仲直りをして、そして笑い合って絆を深めていく。お孝とそんな暮らしをしてみたかった。ですが、こうして父娘の真似事ができたのですから、贅沢を言ってはいけませんな」

お満はずっと畳を見つめていた。

「宗右衛門さん、この前、私に娘さんの話をしてくれましたね。大丈夫ですよ。宗右衛門さんの気持ちは必ず娘さんに届きます。娘さんが、かわいくて仕方ないと泣いた宗右衛門さんの気持ちは、必ず娘さんに届きます。父娘なんですから……」

お満の頬にひと筋の涙が流れた。徳兵衛の話は、宗右衛門とお満に聞かせるために語ったものであるが、お孝も目頭をおさえている。

万造が考えた芝居《しばい》はここまでだ。

昨日、粗方の筋書きを聞いた徳兵衛は、うろたえた。

「その後はどうする。そのまま放り投げるわけにはいかんだろ」

万造は珍しく真面目な顔になった。

「大家さん。こないだ、てめえで言った台詞《せりふ》を覚えてますか。『本当の父と娘なら、会えばなんとかなるものだ』って。ちょいと心に染《し》みましたぜ。おれは、その大家さんの言葉に賭《か》けてみようと思う。おれたちは御膳立てをしてやりゃいいんでえ。それからは本人たち次第でしょう。大家さんがそのまま死んでくれりゃ、一番効果があるんだけどよ」

引き戸が勢いよく開いた。

「大家の仮病《けびょう》で、女の医者を騙《だま》すってえのは、明日だったよな……」

八五郎の視界に映るすべてのものが止まった。

「と、思ったら、今日、だった、みてえ、だ、な……。それでは、よいお年を……」

八五郎は風のように消えた。万松の二人は頭を抱える。静けさが続くなか、口火を切ったのは、もちろんお満である。

「大家の仮病で、女の医者を騙す……。ど、どういうことですか。みんなして私のことを騙してたんですか。も、もしかして、おとっつぁんも一緒になって私のことを……」

宗右衛門は頭《かぶり》を振る。

「わ、私は何も知らんぞ。徳兵衛さんに呼ばれて、ここに来ただけだ。徳兵衛さん、これはどういうことですか。徳兵衛さん」

徳兵衛は起き上がると、床の上で正座をした。

「宗右衛門さん、お満さん。申し訳ありません。この通りです」

徳兵衛は土下座《どげざ》をして謝る。いきり立ったのは万造だ。

「大店の主だかなんだか知らねえが、大家さん。こんなやつらに謝ることなんかねえ。やい、てめえら、耳の穴かっぽじってよーく聞きやがれ。大家さんはなあ、宗右衛門さんが娘と仲違いしちまって、悔やんでるのを知って、なんとかしてやりてえって思ったんだよ。だが、てめえたちは、くだらねえ意地を張って、ちょっとやそっとの理由じゃ、会うことすらしねえだろ。だから、したくもねえ芝居を打ったんじゃねえか。大家さんとお孝さんが、どれだけてめえたちのしんぺえをしたかわかるか。大家さんはなあ、たとえ今度のことで、宗右衛門さんに嫌われても、娘さんとの仲を取り持ってやりてえと思ったんだよ。泣かせるじゃねえか。おう、お満さんよ。世間知らずで、何不自由なく育ったことを、ありがてえと思え。そりゃ、宗右衛門さんのおかげじゃねえのか」

気の強いお満も黙ってはいない。

「人を騙していたくせに、あなたにそんなことを言われる筋合いはありません」

「なんだと、この野郎」

「私は野郎ではありません。こんな猿芝居に付き合っている暇はありません。帰ります」

お満が立ちかけたとき──。

「そこまでだ」

八五郎が開けっ放しにした引き戸の中に立っているのは、聖庵と島田鉄斎だ。

「そこまでだ。お満」

聖庵はもう一度言った。

「医者として、まだまだ修業が足りんな、お満」

お満は、もう一度、その場に座り直した。

「申し訳ありません、聖庵先生。未熟ゆえ、仮病を見破ることができませんでした」

「馬鹿者！」

聖庵は一喝《いっかつ》する。

「医者にはもっと大切なことがあるのだ。なぜ、それがみえない」

「もっと大切なこと……」

お満は同じ言葉を繰り返した。

「医者にとって大切なのは、病よりも人の心を診《み》ることだ」

お満は必死に、その言葉を読み解こうとしている。

「お前を聖庵堂に来るように仕向けたのは、宗右衛門さんなんだぞ」

「そ、それは本当なの」

お満は宗右衛門に視線を送るが、宗右衛門はその視線を逸《そ》らした。

「宗右衛門さんが、聖庵堂に行けと言えば、お前は従わなかっただろう。だから番頭さんや、お前の兄弟を使って、ワシのところへ来させるようにしたんだ。宗右衛門さんはワシの前で両手をついたぞ。江戸で指折りの大店の主が、この貧乏医者に両手をついて『お満のことをよろしくお願いします。世の中のためになる医者にしてやってください』と頼んだのだ」

「おとっつぁんが……」

聖庵は続ける。

「宗右衛門さんはな、治療代や薬代を払えない貧乏人ばかりを相手にする医者には、薬をタダ同然で分けているんだ。それを知っているのは番頭さんだけだ。商いに情けは禁物《きんもつ》だ。それに善意と偽善は紙一重だからな。善意で名を売るなどは本物の商人ではない。また、タダ同然で薬をもらう方にも甘えが出てしまう。宗右衛門さんは、これと見込んだ医者を吟味《ぎんみ》しているのだ。おっと、偉そうなことは言えんな。ワシもタダ同然で薬をもらって甘えている一人だからな」

お満は全身の力が抜けた。

「し、知らなかった……」

宗右衛門は他人事《ひとごと》のように立ち上がる。

「聖庵先生まで余計なことを……。なんだかここに居辛《いづら》くなりましたな。私はこのへんで退散させていただきます」

土間《どま》に下りようとした宗右衛門の腰に、お満がしがみつく。

「ごめん、ごめんなさい。おとっつぁん、私、聖庵先生みたいな医者になるから。絶対になるから……」

宗右衛門の背中は震えている。万造は大きく息を吐きだす。

「ふー。手間をかけさせやがって。面倒な父娘だぜ」

松吉は鉄斎に小声で尋ねる。

「でも、どうして……」

「こんなことになるんじゃないかと思ってな、聖庵先生に声をかけておいたんだ。

どうだ、絶妙の間合いだったろう」

鉄斎は笑みを浮かべて鼻の頭を掻いた。

徳兵衛とお孝の旅支度は調《ととの》った。

「大家さんまで行くこたあねえでしょう。そんなにお孝さんと一緒にいてえんですか」

万造の冷やかしを軽く流す徳兵衛。

「孫の顔を見たら、すぐに帰ってきますから。それまで留守を頼みましたよ」

井戸端に集まったおけら長屋の住人たちは揃って笑顔だ。おかみさん連中が、お孝に握り飯を手渡す。

「お孝さん、また遊びに来てくださいよ」

「そうですよ。なんたって大家さんは、心の臓に持病があるんですから」

一同は大笑いする。お孝は深々と頭を下げた。

「みなさん、本当にありがとうございました。おけら長屋のみなさんがいてくれれば、一人暮らしのおとっつぁんも安心です。必ず、また来ます。それまで、どうかお元気で……」

お孝は振り返りながら、何度も何度も頭を下げた。

両国橋の東詰で、徳兵衛とお孝を待っていたのは、宗右衛門とお満の二人だ。柳の下に立つ二人の距離は思いのほか近い。徳兵衛は、それが嬉しかった。

宗右衛門はどこか不機嫌な様子だ。

「いろいろとお世話になりましたが、礼は言いませんぞ。徳兵衛さんと私は心腹《しんぷく》の友なのですから。それよりお孝さん、徳兵衛さんを早く帰してくれなくては困ります。酒の相手がおりませんからな」

その横で、お満は神妙な身構えだ。

「素直な心で、おとっつぁんと話し合うことができました。おけら長屋のみなさんのおかげです。それから……、機会があったら、万造さんに伝えてもらえませんか。すべてが、万造さんの言う通りだったと……」

「ほう。これはまた殊勝な。お満さんと万造は犬猿の仲だったのでは……。申し訳ないが、それはお断りします。人の仲を取り持つのは、もうこりごりです」

「まあ、おとっつぁんたら」

笑い声を残して、徳兵衛とお孝は、まだ人通りの少ない両国橋を足早に渡っていった。

編集協力——武藤郁子

この物語はフィクションであり、実在した人物・団体などとは一切関係ございません。

本書は、書き下ろし作品です。

著者紹介

畠山健二（はたけやま　けんじ）

1957年東京都目黒区生まれ。墨田区本所育ち。演芸の台本執筆や演出、週刊誌のコラム連載、ものかき塾での講師まで精力的に活動する。著書に『下町のオキテ』（講談社文庫）、『下町呑んだくれグルメ道』（河出文庫）、『超入門！ 江戸を楽しむ古典落語』（ＰＨＰ文庫）、『粋と野暮 おけら的人生』（廣済堂出版）など多数。2012年『スプラッシュ マンション』（ＰＨＰ研究所）で小説家デビュー。文庫書き下ろし時代小説『本所おけら長屋』（ＰＨＰ文芸文庫）が好評を博し、人気シリーズとなる。

ＰＨＰ文芸文庫　本所おけら長屋 読み始めセット
本所おけら長屋（三）

2023年９月15日　第１版第１刷

著者	畠山健二
発行者	永田貴之
発行所	株式会社ＰＨＰ研究所
東京本部	〒135-8137 江東区豊洲5-6-52
	文化事業部 ☎03-3520-9620（編集）
	普及部 ☎03-3520-9630（販売）
京都本部	〒601-8411 京都市南区西九条北ノ内町11
PHP INTERFACE	https://www.php.co.jp/
組版	朝日メディアインターナショナル株式会社
印刷所	図書印刷株式会社
製本所	東京美術紙工協業組合

ISBN978-4-569-90341-5

本所おけら長屋（一）〜（二十）

畠山健二 著

江戸は本所深川を舞台に繰り広げられる、笑いあり、涙ありの人情時代小説。古典落語テイストで人情の機微を描いた大人気シリーズ。

スプラッシュ マンション

畠山健二 著

マンション管理組合の高慢な理事長にひと泡吹かすべく立ち上がった男たち。奇想天外なその作戦の顚末やいかに。わくわく度満点の傑作。